배달의 정석

오토바이 음식배달 플랫폼 쿠팡이츠·배민커넥트 입문

가지아 지음

CONTENTS

프롤로그   05

1장   오토바이와 보험준비   08

운전 면허증 ㅣ 오토바이 선택 ㅣ 자차 구매 시 ㅣ 전기 오토바이 ㅣ 유상운송보험
배달서비스공제조합 ㅣ 시간제 보험 ㅣ 오토바이 리스&렌탈

2장   배달용품 세팅   34

배달통(탑박스) ㅣ 버거가방 ㅣ 자석 거치대, 케이스, 딱판 ㅣ 윈드스크린
윈드스크린 확장키트 ㅣ 방수케이스 ㅣ 열선그립 ㅣ 핸들그립 어시스트
토시 ㅣ 쿨시트 ㅣ 안장쿠션 ㅣ 파킹브레이크 ㅣ 안개등 ㅣ 블랙박스 ㅣ 그 외

헬멧 ㅣ 장갑 ㅣ 블루투스(헬멧 장착) ㅣ 자석고리 ㅣ 가정용 자석 충전기
바디캠 ㅣ 배달조끼 ㅣ 신발(안전화) ㅣ 무릎, 팔꿈치 보호대

3장   배달 플랫폼 가입   56

쿠팡이츠서비스 유한 ㅣ 쿠팡이츠 배달파트너 ㅣ 멀티배달 ㅣ 쿠팡이츠 플러스
㈜우아한 청년들 ㅣ 딜리버리앤 ㅣ 배민커넥트(앱) ㅣ B마트 ㅣ 배민라이더스쿨
배달의 민족 고객주문 화면 ㅣ 알뜰배달 배차화면 ㅣ 배민커넥트비즈

4장　배민커넥트 & 쿠팡이츠 회원가입 및 화면　　78

배민커넥트
가입절차 | 안전교육 | 로그인 및 보험인증 | 배차방식 | 배차화면
구역 및 지도 확인 | 콜 배정 | 주문번호 및 내역확인 | 배민원 배달 과정 |
배달완료 | 배달내역 다시 보기 | 주류배달 | 마이페이지 및 환경설정 |
이벤트 및 공지사항 | 카카오채널 | 기본 배달료 | 구간 배달료 |
구간배달 단건 예시 | 바로(단건)와 구간(알뜰)배달 예시 | 시간제 보험

쿠팡이츠 배달파트너
회원가입 | 안전교육 | 지역범위 및 단가 | 마이페이지
로그아웃-다른 핸드폰 번호로 접속 | 네비게이션 설정 | 콜 배정
픽업완료 및 경로 | 배달목록 확인 및 주문 받기 종료 | 멀티배달
배달상태 촬영 | 내 수입 | 시간제 보험 | 시간제 보험 승인 및 가입요건

5장　운행 및 배차　　118

플랫폼 선택 | 지역선택 | 배달 성수기와 비수기 | 콜의 밀도 |
배달의 흐름 | 조리대기 | 상점특성 | 차간주행 | 네비게이션

6장　배달 용어　　128

배달대행 | 특수형태근로종사자(특고직) | 딸배 | 노뚝 | 피크타임 | 콜사 |
유배지 | 천룡인 | 자토바이 | 끌바 | 샵인샵 | 공유주방 | 픽업/오픽업/오배송 |
과적기준(추가배차)

7장 꿀팁 및 오토바이 관리   138

목표설정 | 배달 마인드 | 배달의 흐름 | 장거리콜, 유배지도 좋을 때가 있다? | 배달평점 | 바른자세와 나에게 맞는 장비 | 자기관리 | 스마트폰 | 엘리베이터 비밀번호 | 요청사항 확인 | 오배송 대처 | 회수콜 | 고객부재 | 음식훼손 | 직선거리와 네비게이션 거리 | 고객센터 | 고객관계관리 | 회사와 조직,시스템 | 집회/시위 | 과태료와 범칙금 그리고 벌점 | 동료가 있는 경우 | 커뮤니케이션 | 카카오맵 위치공유 (앱) | 날씨 | 여름(7월 말~8월까지) | 장마(7월 말) | 여름철 배터리 충전 안될 때 | 태풍(바람) | 겨울(12월 말~2월 말)

오토바이 관리요령
엔진오일 | 구동계 교체 | 미션오일(변속기 오일) | 스마트키 배터리 교체 | 타이어 교체(공기압) | 냉각수, 브레이크 오일 | 배터리 방전 | 에어클리너 | 점화플러그 | 연비 | 아이들링 스탑 | 브레이크 패드(드럼, 슈)

8장 배달시장 산업과 라이더 수입(정산)   172

배달산업의 미래 | 수입 | 투잡 | 라이더 수입(정산) | 정산주기

9장 사고 시 대처   184

핸드폰 | 주정차 단속 | 끝신호 | 버스 또는 택시의 차선변경 | 택시 개문사고 | 우회전 시 횡단보도 보행자 | 가파른 언덕을 올라갈 때 위에서 신호대기 중인 차량 | 맨홀, 공사장 철판바닥, 낙엽이나 모래 쌓인 곳 | 페인트 | 블랙아이스, 염화칼슘 | 라이더유니온 | 우아한 라이더 살핌기금 | 산업재해보험 | CCTV 공개청구 | 과실비율정보포털 | 생활물류서비스산업발전업

마지막으로   200

프롤로그

배달은 오래된 직업 중 하나일 것이다. 국내에서 음식배달은 조선 후기부터 기록에 남아 있는데, 당시 양반들이 먹던 해장국(효종갱:새벽종이 울릴 때 먹는 국)은 밤에 남한산성(당시에는 경기도 광주)에서 끓여서 새벽에 출발해 4대문(현재 종로, 중구) 안으로 배달했다고 한다. 1810년 조선 후기 순조임금도 한밤중에 궁 밖에 냉면을 사다 먹었다는 기록이 있다. 1849년에도 진주지역 양반가 또는 기방에서 냉면을 배달시켜 먹었다고 한다.

기존 국내에서 배달은, 서비스 개념이 강해 제공자가 배달비를 부담하는 경우가 많았다. 인건비가 저렴한 상황에선 물품이나 음식값에 배달 인건비를 녹여서 판매할 수 있다. 하지만 2018년 5월 인기 치킨 프랜차이즈인 교촌치킨에서 주문당 2,000원의 배달료를 부과하기 시작했고, 이후 음식배달 플랫폼 사업자들이 직접 배달을 시작하면서 배달은 별도의 서비스로 자리 잡기 시작했다.

코로나 기간동안 호황을 누린 업종 중 하나는 배달업이다. 배달전문 음식점의 성황과 더불어 배달 플랫폼의 거래액도 급증하고, 코로나로 인해 영업이 불가능한 업종의 인력들이 배달 라이더로 전향한 경우도 많았다. 이밖에도 1인 가구 증가, 커피와 디저트부터 화장품까지 배달하는 배달품목의 확장도 배달량을 증가시키는데 일조했다.

과거에는 음식점에서 직접 배달인력을 고용하고 오토바이를 제공했다. 하지만 배달대행업이 생긴 후 음식점들은 특정 배달대행업체와 계약을 맺고 월 가맹비를 지불하며, 배달이 발생할 때마다 수수료를 지급하기 시작했다.

코로나 이전까지는 고객이 배달의민족으로 주문을 하면, 상점에서 주문을 받고, 해당 지역의 배달대행업체가 배달을 수행하는 방식이 주류였다. 이같은 방식은 음식점이 배달플랫폼에게는 광고료와 주문 수수료를 지급하도록 하고, 배달대행업체에는 월 가맹비와 배달비를 따로 지급해야 했다.

하지만 코로나 기간 동안 "쿠팡이츠"의 단건배달을 시작으로, 배달의 민족 자회사 "우아한 청년들"까지 특수형태근로자로 라이더를 직접 고용하여 배달대행업 시장에서 점유율을 늘려갔다.

따라서 현재 배달 유형은 3가지로 분류된다.
1) 음식점이 직접 배달원을 고용하는 방식
2) 음식점이 배달대행업체(바로고, 부릉 등)와 계약하여 배달을 위탁하는 방식
3) 음식점이 배달플랫폼(배민, 쿠팡이츠)에 배달을 위탁하는 방식

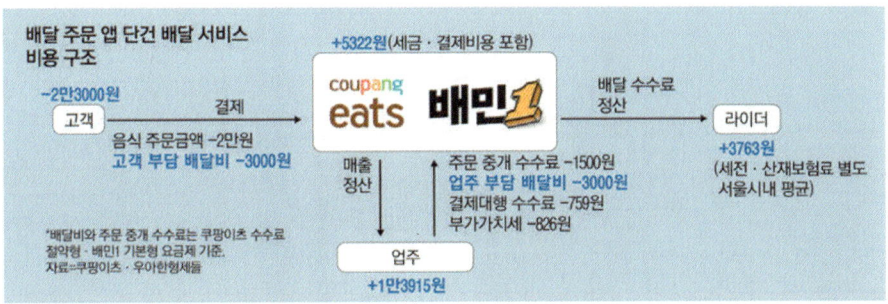

 2024년 기준, 지역에 따라 다르지만 서울 중심가의 경우 배달 플랫폼을 통한 주문량이 증가(3)하고, 배달대행업체 위탁(2)은 감소하는 추세다. 음식점에서 배달원을 직접 고용하는 방식(1)은 배달이 많은 중식집 등 일부 업종이 아니면 더이상 유지하기 어려운 상황이다. 따라서 이 책은 현재 가장 많은 라이더가 근무하고 있는 3번째 유형 배달 플랫폼에 특수형태근로자로 입직하여 배달하는 내용을 다룬다.

오토바이와 보험준비

이 책을 보시는 분이라면 "음식 배달로 월 천만원 수입"이라는 언론기사를 보고 "나도 오토바이 배달 해 볼까?"라는 생각을 할 수 있다. 단순히 가능하냐고만 묻는다면 답은 "가능하다." 하지만 아무나 할 수 있지만 누구나 할 순 없다.

시간 당 2만원 수입으로 계산했을 때, 배달 플랫폼 운영시간(오전6시~새벽3시) 동안인 20시간 중 15시간을 근무하면 30만원이다. 물론 실력이나 배달료가 높다면 10시간 안에 30만원을 벌 수 있다. 그렇게 30일 이상 일하면 가능하다.

실제로 배달로 연간 1억원 이상 버신 분은 매일 오전 10시 출근하고 중간에 콜이 적은 시간에 식사하고 밤 12시까지 쉬지 않고 운행하다 퇴근한다. 그리고 일주일에 하루만 쉰다.(2022년 기준) 물론 눈이 오거나 명절처럼 배달료가 높은 날도 있고, 노력도 많이 하시기에 시간 당 평균 수입은 2.5~3만원 수준으로 다른 분들 보다 더 빠르게 월 천만원의 수입을 달성할 수 있었다. 이젠 여행도 다니고, 사람도 만난다고 한다.

어떤 다른 분은 플랫폼에 소속되어 매일 아침 9시부터 새벽 2시까지 일하며 하루 30~40만원의 수입을 올리시는 분도 있다. 하지만 다수의 라이더분들은 플랫폼과 음식배달의 특성에 따라 배달료가 높은 피크시간(주문이 몰리는 시간) 점피(점심피크) 3시간, 저피(저녁피크)에 4시간만 운행하는 경우가 많다.

"배달 3개월 해보면 다른 일 못한다."라는 말이 있다. 그만큼 배달 일이 비용과 시간투자 대비 수익이 좋았던 지난 3년이었다. 하지만 이제부터 시작하시는 분들은 "과거에 어땠다…"라는 건 다 묻어두고 시간 당 2만원을 목표로 하시는데 이 책이 도움이 되었으면 한다.

배달을 시작하려면 먼저 오토바이가 있어야 한다. 요즘에는 전기자전거나 전동 킥보드로 하시는 분도 계시지만, 하루 8시간 운행을 기준으로 한다면 아직까지는 내연기관 오토바이가 대세다. 따라서 이 책도 오토바이를 중심으로 적었다. 우선 오토바이 배달에 필요한 면허증, 오토바이, 유상보험부터 살펴보자.

01 운전 면허증

원동기나 자동차 면허증으로 운전 할 수 있는 오토바이는 125cc/11kw 까지다. 그 이상 배기량은 2종 소형 면허를 추가로 따야한다. 2종 소형은 운전면허장과 학원에서 취득할 수 있는데, 면허시험장에서 대부분 'ㄱ' 자 코스에서 탈락한다. 연습을 따로 하지 않을 경우 5번 이상 도전해서 떨어진 사람도 흔한 편이다. 보통 학원에서 40만원 정도의 비용을 지불하고 자체시험으로 취득한다. 혹은 사설 학원에서 10만원 미만 비용을 내고 2시간 정도 연습 후에 바로 면허시험장에 가서 취득하는 방법도 있다. 보통 배달용 오토바이는 125cc 미만이니 일반적인 자동차 면허증으로 충분하다.

02 오토바이(바이크) 선택

오토바이는 크게 자차(구매)와 렌트(리스)로 구분된다. 오토바이 배달에 필요한 유상운송 보험료가 비싸기 때문에 연령에 따라 자차구매 보다 리스/렌트가 나을 수도 있다. 경력이 없거나, 20대인 경우 보험료가 오토바이 값 보다 비싼 경우가 많다. 리스/렌트는 온라인에서 여러 업체를 비교하여 좋은 조건을 선택하면 된다.

03   자차 구매 시

신차 또는 중고차를 구입한 후 번호판을 등록하고, 보험에 가입해야 한다. 배달용 오토바이의 양대산맥이라 할 수 있는 두 오토바이가 있다. 혼다의 "PCX"와 야마하의 "NMAX"다. 두 기종 모두 수년간 필드에서 검증된 125cc 오토바이다. 다만 내구성은 혼다 PCX가 야마하 NMAX 보다 우수하다는 게 배달업계의 전반적 의견이다. 도로에 보이는 배달 오토바이 절반 이상이 둘 중 하나일 가능성이 높으니 둘 중 하나를 선택한다면 무난하다.

두 기종은 모두 스쿠터로 자동변속이라 운전이 편리하다. 자동차의 수동(스틱)과 오토의 차이라 보면 된다. 엑셀을 감는만큼 출력이 나온다. 흔히 보이는 중국집 오토바이(대림씨티100)는 장시간 운전할 경우 발로 기어를 넣어야 하기 때문에 피곤하다. 물론 기어가 있으면 연비도 더 좋고 눈, 비가 오거나 언덕이 많은 지형에서 좀 더 유리한 부분이 있다. 하지만 일반적인 환경에서 장시간 운전할 경우 피로도 면에서 스쿠터가 압도적으로 편하다.

250cc~400cc를 쿼터급이라고 하는데, 배달 오토바이로는 49cc에서 350cc까지가 적당하다고 생각한다. 그 이상으로 배달하시는 분들도 있지만 전업으로 배달을 하신다면 경제성 때문에 추천하기 어렵다. 쿼터급에선 혼다의 포르자 350(FORZA)와 야마하의 엑스맥스 300(XMAX)를 많이 구매한다. 125cc와 다르게 쿼터급에선 혼다 포르자 보다 야마하의 XMAX가 내구성이 좀 더 나은 편이다. 125cc 이상은 2종소형 면허가 필요하기에 자동차 운전면허만으로 가능한 125cc급 오토바이 보다 진입장벽이 있다. 하지만 125cc 오토바이에 익숙해지면 출력이 부족한 순간을 느낄 때가 많다.

특히 서울 외곽이나 지방은 도로상황에 따라 125cc로 자동차 속도에 맞춰 출력을 줘어 짜야한다. 일제 오토바이 기준 쿼터급 가격은 대략 700만원 수준이기에 400만원대인 125cc 보다 초기비용도 높고 보험료도 비싸다. 소모품 비용도 2배까진 아니지만 1.5배 정도 비싼 편이다. 더욱 상위기종으로 BMW C400시리즈와 야마하의 TMAX 등이 있지만 배달을 하기에는 구매비용이나 소모품 비용이 더욱 커진다. 차체도 큰 편이라 차간주행을 하기도 쉽지 않다. 하루 8시간 동안 150km 이상 주행하는 전업 라이더에게는 부담스럽다.

아래 표는 배달용으로 고려할 수 있는 오토바이 목록이다. 오토바이를 구매할 때 ABS(Anti-lock Brake System)와 TCS도 고려하면 좋다. ABS는 평소 느끼기 어렵지만 긴박한 순간에 ABS의 효과를 한번이라도 사용한다면 그 값어치는 충분히 한다. ABS는 급브레이크를 잡았을 때 바퀴가 잠겨 쭉 미끄러지는 상황을 방지한다. ABS가 작동하면 자동으로 브레이크가 "작동했다 풀렸다"를 반복하기 때문에 제동거리도 줄어들고, 차체가 쏠리는 것도 막을 수 있다. TCS(Traction Control System)는 바퀴의 접지력이 안 좋은 상황에서 바퀴가 헛도는 상황을 방지한다. ABS와는 다르게 운전자의 의지로 상황에 따라 사용 여부를 선택할 수 있다.

브레이크는 드럼식과 디스크 방식이 있는데 개인적으로 꼭 디크스 브레이크(유압식)을 추천한다. 드럼식이 비용은 저렴하지만 브레이크가 밀리기 쉽고 작동 시 유압식 보다 레버에 힘이 많이 든다. 장시간 운행하는 상황에 마치 악력기를 쥐듯 브레이크를 잡았다 놨다 하는 상황은 손에 피로도가 쉽게 쌓일 수 있다. 전업의 경우 한번 구매한 오토바이는 적어도 1년 이상 운행하기 때문에 가급적 추후 기변 보다는 한번 살 때 제대로 구매하는 것이 낫다.

혼다 PCX125 (ABS기준) \ 4,430,000

2009년 출시된 고급형 125스쿠터다. 국내에선 125cc가 판매되지만 해외에선 150cc도 있다. 평균 연비가 리터당 35km 이상이다. 원래 배달을 목적으로 설계되진 않았다. 하지만 국내에서 장시간 운행할 때 편한 포지션과 좀비 같은 내구성으로 인기 있다.

야마하 NMAX125 \ 4,370,000 (NMAX155 \ 4,850,000)

2015년 출시된 혼다의 PCX의 경쟁모델로 고급 승용 스쿠터 시장을 겨냥했다. 앞브레이크만 ABS를 적용한 PCX와 다르게 2채널 ABS와 스포티한 주행감으로 인기 있다. 2021년 기준으로 스마트키와 TCS 등이 추가되었으나 내구성은 PCX에 비해 약한 편이다.

디앤에이모터스 VF100 \ 2,520,000

과거 대림자동차에서 AJ그룹에 인수됐다. 원래 모델은 중국 하우즈스즈키의 '조이스타'이다. 배달의민족 민트(렌탈) 오토바이로 시중에 많이 보인다. 최고속력은 80km 수준이다. 110cc미만 배기량으로 보험료도 저렴한 가성비 모델이다.

디앤에이모터스 뉴시티 100 \ 2,600,000

혼다 슈퍼커브를 기반으로 국내에서 판매되는 전설의 배달 오토바이다. 내구성을 말할 필요가 없을 정도다. 로터리 기어가 특징으로 연비와 기어변속의 편리함을 모두 갖췄다. 가볍고 시트고도 낮아 누구나 타기 좋다. 하지만 PCX나 NMAX 같은 스쿠터에 비해 승차감이나 주행 편리성은 부족하다.

혼다 슈퍼커브 \ 2,650,000

일본 혼다에서 1958년부터 생산됐다. 처음부터 배달을 목적으로 설계된 실용적인 오토바이다. 고급형으로 C125와 CT125가 있지만 가격은 1.5배 이상 비싸. 배달용이지만 다양한 튜닝이 가능하고 뉴시티 100 등과 부품이 호환된다. 말이 필요 없는 명차다.

혼다 비전 109cc \ 2,430,000

PCX에 비해 저렴한 가격이지만 esp+엔진과 아이들링 스탑, 스마트키 옵션이 들어가있다. 최고속력은 90~95km 수준이다. 내구성과 발란스가 좋은 믿음의 혼다 스쿠터지만 가격 경쟁력은 높은 편이다.

한솜바이크 ADV 125 ABS \ 4,180,000

혼다 ADV350과 디자인이 비슷하고 24년식부터는 2채널 블랙박스 내장, 타이어 공기압 모니터링 2채널 ABS 브레이크까지 기본 내장되어 있다. 기본 브레이크 레버도 조절식이라 손 크기에 맞춰 조절할 수 있다. PCX, NMAX 보다 저렴한 가격에 옵션이 모두 포함되어 있어 가성비가 좋다.

피아지오 메들리 (Medley 125 S) \ 4,490,000

베스파로 유명한 이탈리아 스쿠터다. PCX나 NMAX에 비해 초반 가속력이 좋다. 16인치 휠을 사용한다. 구매가격은 일본 스쿠터와 비슷하지만 소모품 비용이나 고장 시 수리비가 비싼 편이라 배달용으로 적극 추천하긴 어렵다.

포르자 (Forza 350) \ 7,590,000

2000년 출시됐다. 현재 이름은 350이지만 330cc다. 745cc 모델도 있지만 배달용으로 잘 사용되지 않는다. 야마하 XMAX의 경쟁모델이다. 전동 스크린이 기본 옵션이라 원하는 높이로 조절할 수 있다는 것이 장점이다. 쿼터급에서 무난하게 배달용으로 많이 사용된다. 같은 엔진이지만 쇼바와 디자인이 다른 ADV350도 있다.

X-MAX 300 (ABS) \ 7,450,000

2005년 출시됐다. 동급 기종 중 주행성이 좋은 편이다. 다년간 배달대행과 퀵서비스에서 내구성이 검증된 모델이다. 겨울철 시동불량 문제로 인산철/리튬이온 배터리로 교체하는 일이 많은 것이 단점이다. 포르자 350과 함께 배달, 퀵서비스 용으로 쉽게 볼 수 있다. 상위모델로 TMAX 560이 있다.

BMW C400X (350cc) \ 10,300,000

쿼터급 오토바이 중 가격은 비싼 편이지만 기본 옵션으로 장착된 쇼바와 타이어, 브레이크 시스템이 안정적이다. 시트와 핸들열선이 기본 장착되어 있어 옵션을 생각하면 포르자와 XMAX 튜닝비용과 비슷할 수 있다. 하지만 배달용 엔진 내구성은 검증되지 않았다.

젠트로피Z \ 3,450,000

전기 오토바이로 구매 후 직접 배터리를 충전하는 것이 아니라 월 정액료를 내고 곳곳에 있는 스테이션에서 충전된 배터리를 교체하는 구독형 모델이다. 2024년 서울 전역, 경기 남부권에 200여개 이상 스테이션이 있다. 보험료는 100cc 수준이다.

이외에도 바퀴가 세개인 트라이크(야마하 트리시티) 등 다양한 오토바이가 있다. 하지만 오토바이가 처음이고, 배달을 처음 해본다면 PCX를 적극 추천한다.

새 오토바이 구매 후에는 차대번호로 보험에 먼저 가입하고 제작증으로 구청에서 번호판을 받아 등록하면 된다. 중고로 구매했을 경우에는 양도증명서, 사용폐지증명서, 전 소유자 신분증 사본을 받아야 한다. 또한 양도증명서는 반드시 전 소유자의 도장을 받아야 한다. 마찬가지로 구청에 가기 전에 꼭 보험에 먼저 가입해야 한다. 만약 기존에 타던 오토바이 보험을 이전한다면, 타던 오토바이 번호판을 갖고 구청에 가서 폐지한 후, 바로 보험사에 전화해서 등록할 오토바이에 보험이전을 신청하면 된다. 보험이 이전되면 구청에서 바로 등록된다.

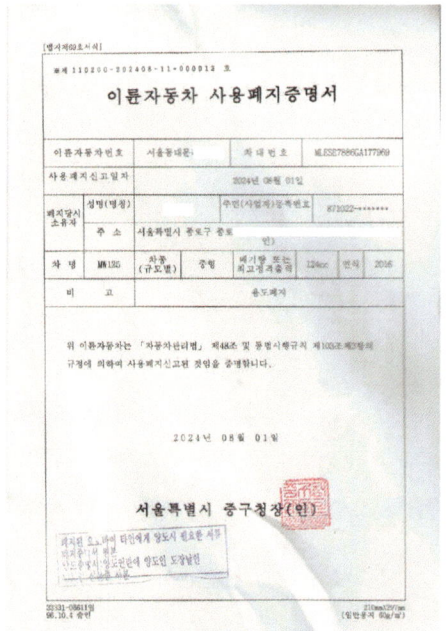

04   전기 오토바이

전기 자전거와 전기 오토바이는 다르다. 전기 자전거는 번호판이나 보험을 들지 않아도 되지만, 전기 오토바이는 내연기관(휘발유) 오토바이와 같다. 전기출력에 따라 오토바이 배기량처럼 등급이 나눠진다. 서울시에서 2025년 상업용 오토바이를 전기로 모두 교체한다고 발표했다.

전기 오토바이의 장점은 환경적인 측면에선 배기가스가 없다는 점이지만, 배달 라이더 입장에서 좋은 점은 소음과 진동이 없다는 점이다. 모터방식이라 구동계나 엔진오일을 교체할 필요가 없다. 하지만 브레이크 패드 및 타이어 같은 소모품은 공통적으로 교환해야 한다. 또한 기종에 따라 정기적으로 체인 또는 대기어와 소기어를 교환해야 할 수 있다. 다른 장점은 출력에 따라 다르지만 초반 가속력이 좋다는 것이다. 반면 수시로 충전이 필요할 수 있으니 배터리 용량과 수시로 교체할 수 있는 스테이션 위치를 먼저 고려해야 한다. 또한 지자체 마다 구매 보조금을 지급하는데 지급시기와 예산에 따라 조기 소진될 경우 보조금을 받지 못하는 경우가 있으니 시기를 맞춰 구매하는 것이 좋다.

전기 오토바이는 충전방식이 중요하다. 집에서 직접 플러그에 충전하거나 주요 거점마다 있는 배터리 스테이션에서 교환하면 된다. 집에서 직접 충전 시 여분의 배터리를 구입하는 비용이 추가되고 경우에 따라 충전하는 동안 운행이 불가능하기 때문에 전업 라이더라면 배터리 스테이션 교환방식을 추천한다.

전기 오토바이 중 하나인 젠트로피Z는 초반 가속력이 125cc와 비교되지 않을 만큼 좋다. 스테이션에서 100% 완충 배터리 교체 시 운행거리는 70km로 3~4시간 정도 주행 할 수 있다. 배터리 교체 스테이션이 많은 지역은 괜찮은데, 그렇지 않을 경우 배터리 교체를 위해 배달을 멈추고 스테이션까지 찾아 가야 하는 번거로움이 있다. 2024년 기준 강남지역은 스테이션이 촘촘하게 있어 운행에 불편함은 없다. 강북권도 지속적으로 스테이션이 생기고 있다.

다만 겨울철에는 배터리 효율이 여름에 비해 다소 떨어진다. 하지만 소음과 진동이 없는 주행감과 가속력, 저렴한 유지비가 매력적이다. 배터리는 구독형이기 때문에 월 16만원에 기름 값 걱정없이 무제한 주행이 가능하다. 만약 운행을 일정기간 하지 않을 경우 구독을 일시정지할 수 있다. 2024년 기준 젠트로피Z 배터리 스테이션 구독료는 66,000원과 165,000원 중 선택할 수 있다.

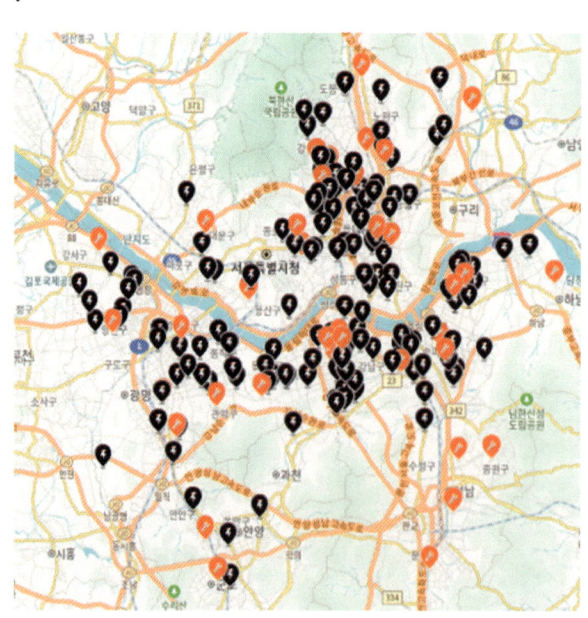

스탠다드
운행한 만큼 지불

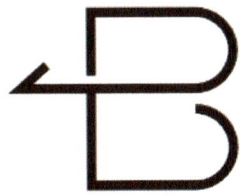

기본 요금 66,000 원 ~

월 1,000km 이하는 66,000원
1,000km 이후 km 당 33원 과금
부가세 포함

언리미티드
무제한 운행

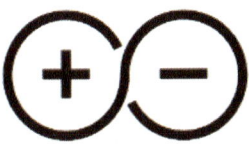

165,000 원

월간 주행 거리에
관계없이 금액 동일

젠트로피 Z 2024년형
배터리 충전 스테이션 교체/공유

공장 출고 가격	5,720,000원
프로모션 A	-230,000 원
탄소 감축 크레딧 양도 계약서	
프로모션 B	-780,000 원
스테이션 멤버십 구독 2년 약정 할인	

1) 배터리팩은 젠트로피 자산으로 미포함 입니다.
2) 사용자는 소정의 월 단위 구독료를 지불합니다.
   전문 인력들로 구성되어 최상의 상태로 안전 관리되는 젠
   트로피의 통합 관제 에너지 서비스를 제공 받습니다.

환경부 보조금	-1,260,000 원
최종 구매가	3,450,000 원
고객 실 자 부담금	

[추가 보조금 지원 할인 유형 정보]

1) 내연기관 폐차 인증 시(부품 및 엔진 파기)
2) 소상공인, 장애인, 기초수급생활자, 차상위계층
3) 서울시 배달용 인증시: 126,000원 추가할인
4) 서울 외 타지역 배달용 인증시: 63,000원 추가 할인

※ 1), 2), 3), 4)는 항목별 중복 적용 불가
※ 지자체별 추가 할인 금액 변동이 있을 수 있습니다.
※ 모든 가격 정보에는 부가세가 포함되어 있지 않습니다.

[젠트로피 스테이션 이용 멤버십 구독 정보]

1) 언리미티드 플랜(무제한), 월 165,000원(부가세 포함)
2) 스탠다드 플랜(주행거리), 월 66,000원(부가세 포함)
   - 월 기본료로 1,000Km까지 추가 과금 없이 이용
   - 1,000km 이후 1km당 33원 추가 과금
3) 24개월 구독 약정, 두 요금제 중 한가지 무조건 선택
4) 24개월 구독 약정으로 자부담금 78만원 할인 적용,
   약정 불이행 시 할인금 반환
5) 요금제 관련 자세한 사항은 '이륜차 예약 계약서' 참고
6) 요금제 선택 프로모션은 구매예약 페이지 요금제 선택에
   서 확인가능

05 유상운송보험

오토바이를 구매했다면 배달을 하기 위해 별도의 보험이 필요하다. 쿠팡이츠 배달파트너는 유상보험 없이도 운행할 수 있다. 배민커넥트는 유상 또는 시간제보험이라도 들어야 운행할 수 있었지만 2024년 7월 2일부터 누구나 운송수단 제약 없이 운행 할 수 있다.

배달 오토바이 보험 종류는 3가지로 나눌 수 있다.
1. **유상운송 배달용(퀵서비스, 플랫폼 라이더용):**
   가입자(피보험자)가 수당, 요금 등 수익을 목적으로 물건 또는 음식 배달을 위해 이륜자동차를 운전하는 경우
2. **비유상 운송배달용(특정 업소 소속으로 가게 음식만 배달):**
   가입자(피보험자)가 유상운송 이외의 목적으로 물건 또는 음식을 배달하는 경우
3. **가정용 및 기타 업무용(출퇴근, 취미용):**
   유상운송 배달, 비유상운송 배달을 제외한 목적으로 운행하는 경우

2번은 흔히 볼 수 있는 치킨 또는 피자 배달 전문점 같은 특정 상점 소유로, 해당 업소의 음식과 상품만 배달하는 오토바이에 해당하기에 자세한 설명 생략한다. 플랫폼 배달 라이더라면 운행시간에 따라 1번 또는 3번을 선택하면 된다.

운행시간이 하루 8시간 이상이라면 3번 유상운송 보험을 추천한다. 만약 투잡으로 단시간만 탈 예정이라면 3번 가정용 보험에 가입하고, 배달 플랫폼에서 제공하는 '시간제 보험'에 가입하는 것도 좋다. 시간제 보험은 운행시간만큼 청구(배민 기준 시간당 평균 약1,200원 또는 하루 5시간 이상일 경우 8천원 고정)된다.

[배민커넥트] 보험 만료 전에 갱신을 진행해주세요.

안녕하세요
개인유상운송종합 보험이 2024. 7. 5 까지 유효하며,
보험 갱신이 확인되어야 만료일 이후 배민커넥트앱 사용이 가능합니다.
※ 만료일은 커넥트 가입 또는 갱신서류 시점에 확인된 것으로 중도 변경이 있을 시 실제와 다를 수 있습니다.

아래 보험 간편조회를 통해 더욱 쉽게 갱신 유무를 확인 할 수 있습니다.

■ 보험 간편조회 요청
- LINK: https://connecter-valid-check.simg.kr
- 보험사 동의 후 보험 확인까지 1~2일 정도 소요됩니다.

■ 캐롯, AXA 보험은 이메일로 서류를 제출해주세요.
- 이메일 : BCIN@woowahan.com
- 제출서류 : 유상운송용이 확인 가능한 보험증권 / 이륜차신고필증
- 필수 기재 사항 : 성명 / 연락처

※유의사항
- 배민커넥트 약관에 따라 개인이 배달수단에 맞는 보험가입 상태를 확인하고 유지하셔야 합니다.
- 보험만료일까지 보험을 갱신하지 않는 경우 배민커넥트앱 계정이 중지될 수 있습니다.
- 본 메시지는 문자메시지(또는 LMS)의 일환으로 발송되는 메시지입니다.

공지   2024.06.28

유상운송보험 유효성 검사 폐지 안내
전체

안녕하세요. 배민커넥트입니다.

오토바이, 자동차 이용 시 유상운송보험 가입 여부를 검증하고 확인 시까지 대기하는 절차가 생략됩니다.

■ 내용
- 향후 생략되는 절차는 아래와 같습니다.
① 신규 가입 단계에서 보험 가입 여부 확인
② 개인유상보험 서류 제출 및 검증
③ 운행 시작 시 보험 유효 여부 확인
■ 적용 시점 : 7월 2일 (화)
■ 대상 : 오토바이, 자동차 수단 이용 라이더

[유의사항]
- 보험에 가입하지 않고 운행 시, 사고 등에 따른 손해로부터 보호가 어려울 수 있습니다. 라이더님의 피해 예방을 위해 보험 가입 및 유지 상태 등을 직접 관리해주세요.
- 시간제보험 가입 완료 시, 보험 승인 후 카카오톡 채널(@배민커넥트)을 통해 보험값 변경을 요청하셔야 합니다.
- 시간제보험 가입이 완료되었더라도 카카오톡 채널을 통해 보험값 변경을 요청하여 앱 내 표기가 '시간제보험'으로 되어 있지 않은 경우 시간제보험 적용이 불가합니다.
- 개인유상보험을 이용하는 경우 앱 내 '보험 미적용'으로 노출됩니다.
- 적용 중인 보험값은 마이페이지 > 내 보험에서 확인 가능합니다.
- 적용 시점부터 개인유상보험 가입 서류 제출을 통한 검증 및 만료 안내가 진행되지 않습니다.

    유상운송 배달보험을 가입한다면 다시 〈유상책임〉과 〈유상종합보험〉으로 구분된다. 두 보험의 차이는 대인배상②의 유무다.

〈유상책임〉의 대인배상①은 자동차 손해배상 보장법에서 정한 한도 내에서 보상된다. 피해 급수에 따라 치료비 한도가 정해져있어 이를 초과 할 시 가해자가 자비로 부담해야 한다. 또한 사고로 상해를 입힌 경우 피해자와 미합의 그리고 공소로 인한 형사처벌 대상이 될 수 있다. 사실 상 3~4주 진단만 받아도 대인① 보상범위를 초과하기에 인사사고(사람과 사고) 자비부담을 피하기 어렵다.

〈유상종합보험〉은 대인보상② 항목이 추가된다. 대인보상②는 대인①에서 초과된 금액까지 대부분 보상된다. 또한 피해자와 미합의 시에도 공소를 제기할 수 없어 형사처벌 대상에서 제외된다. 하지만 그만큼 보험료도 비싸다. 그래서 20대 분들은 가족 중 나이가 많은 가족명의로 보험에 가입하고 '누구나 운전가능'한 형태로 배달을 시작하기도 한다. 보험은 "DB다이렉트 이륜차 보험" 또는 "현대해상 다이렉트 이륜차 보험"이 저렴한 편이며 온라인에서 실시간으로 내 보험료를 조회해 볼 수 있다.

06   배달서비스공제조합

2024년 8월부터 배달서비스공제조합에서 시간제 유상보험 서비스를 시작으로 10월에는 유상보험을 출시했다. 택시공제, 버스 공제와 마찬가지로 오토바이 배달 라이더를 위해 소화물배송대행서비스인증사업자 8곳인 우아한청년들과 쿠팡이츠, 플라이앤컴퍼니, 로지올, 바로고, 만나코퍼레이션, 부릉, 래티브이 공동 설립한 비영리법인이다.

시간제 보험도 기존 보험사 대비 저렴하며, 특히 유상보험은 월(30일) 단위로 제공하여 1년치를 한번에 내야하는 부담을 해소할 수 있게 됐다. 매월 무사고 시 보험료가 할인되고 자동으로 갱신할 경우 1% 추가 할인된다.

또한 기존 보험사에서 무사고로 할인 받는 경우 '등급확인서'를 제출하여 기존 보험사의 할인 등급을 공제조합 등급으로 승계하여 할인 받을 수 있다.

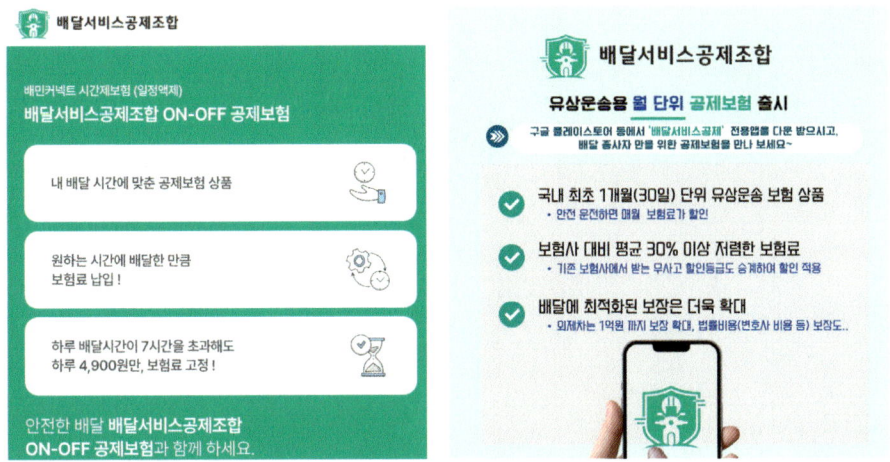

2024년 9월 기준 이륜차 보험 온라인(다이렉트) 평균 보험료는 약 220만원, 공제상품은 약 121만원으로 기존 보험사 대비 30% 이상 저렴하다. 또한 기존 보험사에게 제공 받기 어려운 운전자 치료보장(자기신체 사고)과 무보험차 사고(상대가 책임보험이라도 선보상 받은 후 상대방 보험사가 가해자에게 구상권 청구), 법률지원 등을 추가로 선택할 수 있다. 가입은 전용 앱을 다운 받아야 한다.

(무보험차상해는 만약 사고가 났을 경우 상대가 책임보험이라 내가 피해자라도 보상을 제대로 받지 못하는 것을 막을 수 있다. 만약 차량 운전자라면 자동차보험에 이미 가입되어 있을 수 있으니 확인 후 가입해두면 좋다.)

	공제조합	보험사
법인 특성	비영리 법인	영리회사
사업 목적	사회적 기여 - 저렴한 공제상품을 통해 보험가입을 제고 및 안전망 확대	보험사 이윤 증대
보험료	저렴 - 시간제 단가: 시간당 714원 - 유상운송보험: 연 120만원	비쌈 - 시간제 단가: 시간당 840원 - 유상운송보험 : 연 178만원
보장 내용	동일 - 시간제 (대인한도 : 무한 / 대물한도: 2천만원) - 유상운송보험 (대인 : 1억 5천만원 / 대물한도 : 2천만원)	

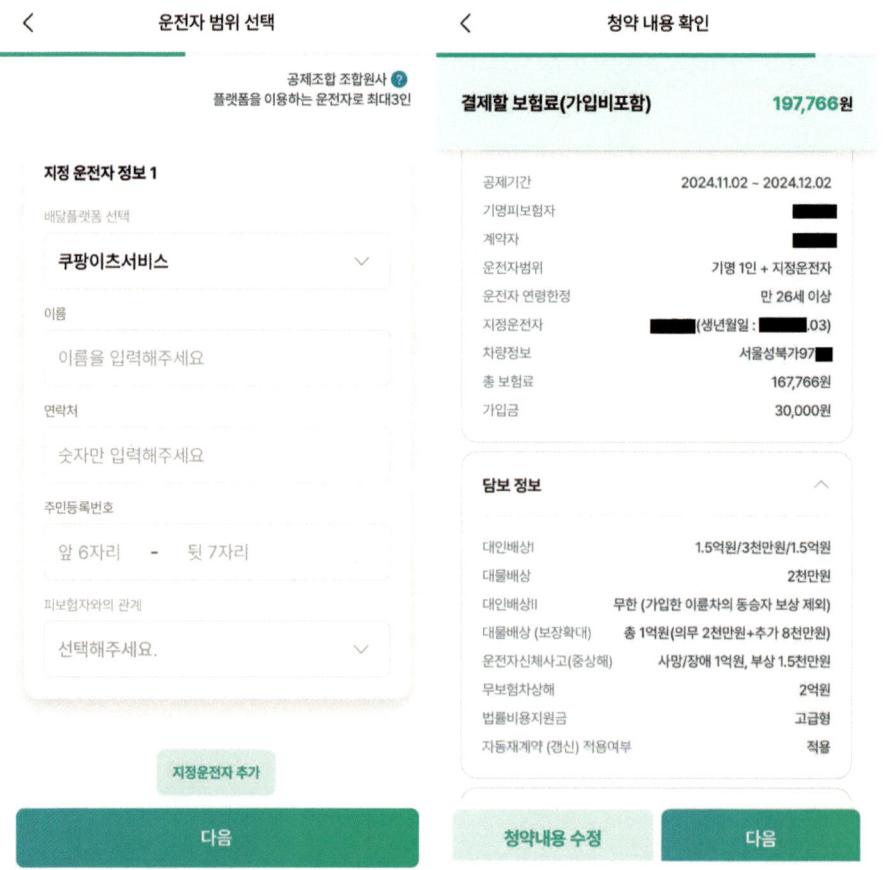

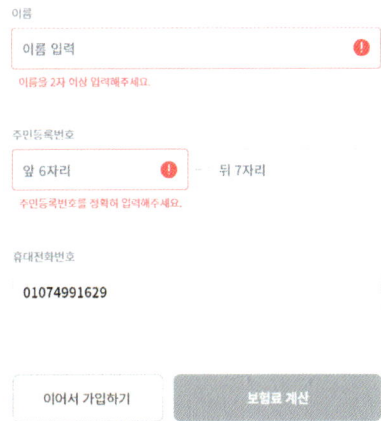
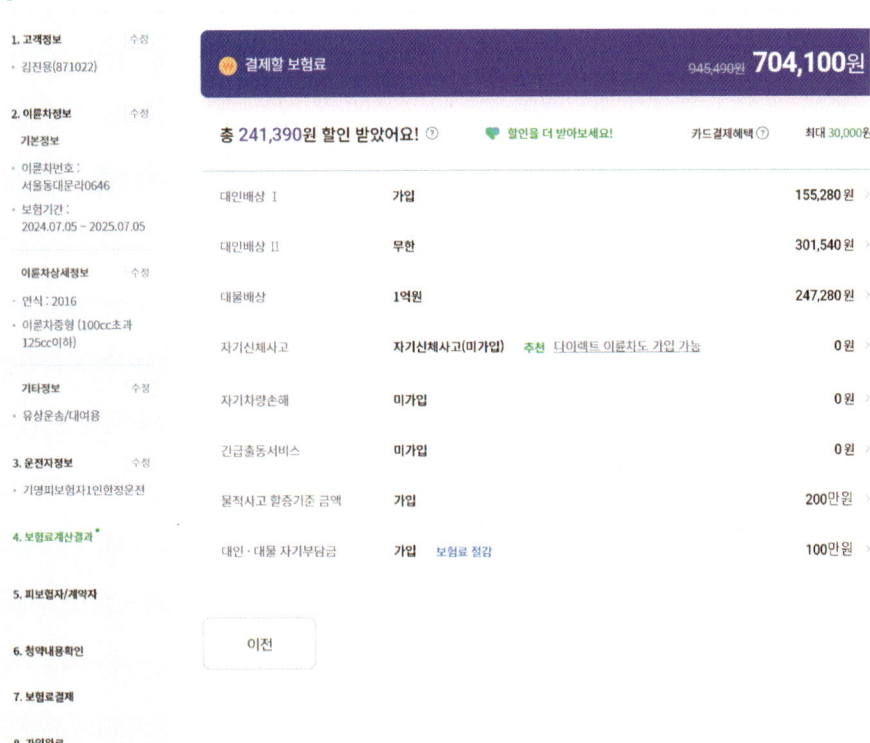

자동차보험증권
다이렉트이륜자동차보험

보험종목	다이렉트이륜자동차보험	증권번호	2-2021-3122214-000
피보험자		계약자	
운전자		최저연령운전자	

보험기간

의무보험기간	2021년 07월 05일 ~ 2022년 07월 05일
임의보험기간	2021년 07월 05일 ~ 2022년 07월 05일

자동차 사항 / **특별요율**

차량(차대)번호	서울	연식	2021년	유상운송/대여용
차명		정원	0.0 명	
차종	이륜자동차(100cc초과 125cc이하)	배기량	125CC	
차량가액(부속가액)	0 만원	적재정량	0.0톤	
부속품				

가입담보/보상한도 (물적사고할증금액 : 50만원) / **특별약관**

대인배상 I	자배법시행령에서 규정한 한도	만30세이상한정 기명피보험자1인한정
대인배상 II	미가입	대인·대물 자기부담금(50만원)
대 물 배 상	1사고당 2천만원 한도	
자기신체사고	미가입	
무보험차상해	미가입	
자기차량손해	미가입	

총 보 험 료	1,749,370 원

위의 표는 36세 이상 첫 가입자의 **유상책임보험증권**이다. 당시 유상종합은 300만원 이상이라 유상책임으로 약 1,760,000원에 가입했다. 대인배상②가 미가입이고, 대물배상은 한도가 2천만원이다. 대물배상은 1억원 한도로 올려도 비용 차이가 적으니 상향해도 좋다.

만약 오토바이 운전자가 부주의로 고가의 수입 외제차 뒷범퍼를 박을 경우 차량의 후방 센서와 범퍼교체 비용, 수리기간 동안 운전자의 렌터카 비용까지 모두 보상해야 한다. 이런 경우 2천만원은 순식간이다. 가장 중요한 것은 대인배상②가 없기 때문에 인도나 도로에서 사람을 칠 경우 오토바이 운전자 자비로 거의 모든 비용을 보상해야 한다.

가능성은 적지만 차량과 사고가 났을 경우에도 오토바이 운전자의 과실이 크고, 차량 운전자가 다쳤다면, 오토바이 운전자가 모든 치료비용을 물어줘야 한다. 따라서 유상책임보험은 오토바이 운전자 과실로 사고를 낼 경우 많은 손해를 감수해야 한다.

아래는 같은 오토바이(PCX125 21년식)로 2년차에 유상종합보험에 가입한 내용이다. 대인배상②가 무한이고, 대물배상이 1사고당 한도가 1억원이다. 사고나 벌점이 없기 때문에 보험료는 1,640,000원으로 할인 받은 금액이 첫 해에 든 유상책임보험보다 저렴하다. 하지만 본인 명의로 운행하다 가해자가 된 사고가 나거나 신호 위반 등으로 벌점을 받는다면 보험 갱신 시 할인을 받기 어렵다.

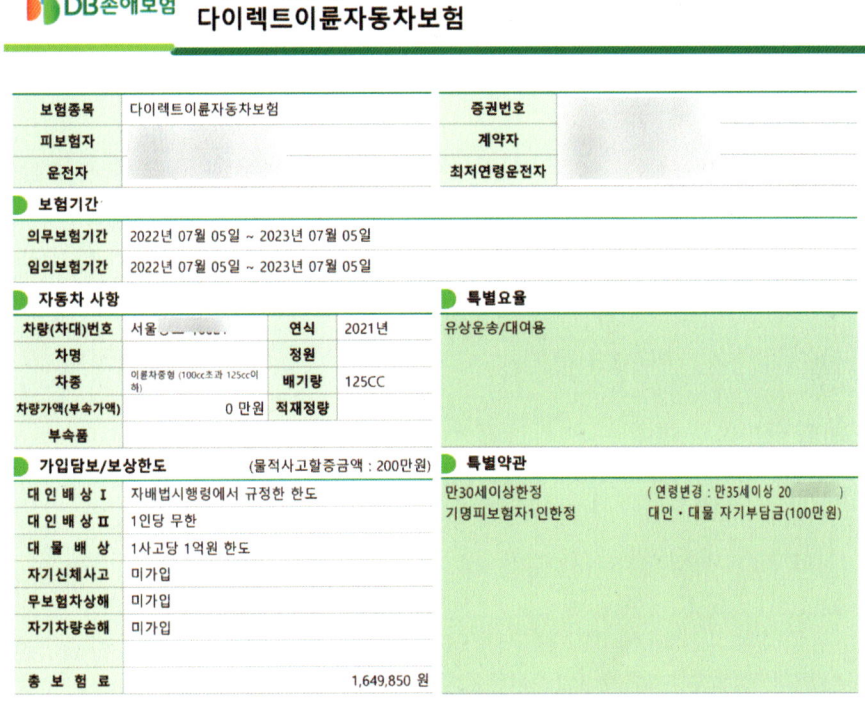

다음은 3년차에 갱신한 유상종합보험이다. 할인등급은 13Z로 보험료는 127만 원으로 내려갔다. 벌점이나 과실사고가 없을 경우 할인할증등급에 따라 보험료가 할인된다. 처음 보험에 가입하면 11Z로 시작해서 1년 간 사고가 없으면 12Z로 등급이 올라간다. 그 다음(3년 차)에는 13Z로 또 올라간다.

반대로 사고가 날 경우 11Z에서 10Z로 등급이 하향되서 보험료가 오히려 상승한다. 이 외에도 보험사 별로 할인할증등급, 사고점수 계산방법, 물적할증기준금액, 사고건수요율 등이 보험료에 영향을 끼친다. 하지만 자세히 알 필요는 없고 그냥 벌점과 사고가 없으면 매년 보험료가 내려가고, 반대의 경우 보험료가 상승한다고 알아두면 된다.

차량사항

자동차번호	서울종로 ■	차명/연식	혼다 PCX125/2021
차종/사용용도	유상운송/대여용	차량가액/부속가액	0만원/0만원

가입특약

운전자범위	기명피보험자1인 한정	기타특약	의무보험일시담보 , 35세이상한정운전 , 기명피보험자1인한정운전 , 대인·대물 자기부담금 100만원 , 대물가입금액확장
연령한정	만 35세이상 한정		

보험요율

가입경력요율	8년 이상/ 83%	할인할증등급	13Z
법규위반	없음	적용률	43.0%
특별요율			

담보 및 특약

대인배상1	자배법시행령에서 규정한 한도	대인배상2	1인당 무한
대물배상	1사고당 1억원	자기신체사고	1인당 사망/부상/후유장해 미가입
무보험차상해	미가입	자차가입금액 (자기부담금)	1사고당만원 미가입
긴급출동서비스		물적사고 할증기준	200만원
부가담보		총보험료	1,272,640원
		초회보험료	1,272,640원

보험에 가입할 때는 인터넷을 통해 다이렉트로 가입하거나 보험설계사 또는 보험사 TM부서를 통해 가입할 수 있다. 설계사나 TM을 통할 경우 추가로 오토바이 운전자 전용 보험에 가입권유를 받을 수 있다. 오토바이 운전자 보험은 이륜자동차 운전 중 교통상해나 형사합의 시 변호사 비용 등 다양한 보장 내용이 있으니 필요한 경우 추가비용을 내고 가입할 수 있다.

구분		11Z	11N	12Z	13Z	14Z	15Z	16Z	17Z	18Z
현대해상	현행(이륜차 개인소유)	123.3	89.5	62.8	55.9	41	40.8	38.5	36.7	32.5
현대해상	현행(이륜차 법인소유)	118.4	86	75.7	60.8	42.7	41	39.1	34.4	30

07 시간제 보험 (배민커넥트 기준)

만약 가정용 보험에 가입되어 있고, 유송운송보험이 부담스럽다면 시간제 보험도 좋다. 배달한 시간만 적용되며 대기시간은 제외된다. 즉 배차(콜 수락)부터 픽업 및 전달완료까지만 체크된다. 대인배상은 인당 1억원(사고 당 최대 3억원), 대물배상은 사고당 최대 1천만원 본인 치료비는 사고당 최대 5백만원이다. 보험료는 시간당 1250원으로 만 24세 이상부터 가입 가능하다. 쿠팡이츠는 운행한

시간만큼 보험료가 부과되지만, 배민은 하루 5시간을 넘으면 보험료가 최대 8천원으로 고정된다. 보험적용이 5시간을 넘은 순간부터 5시간을 운행하든 12시간을 타든 보험료는 8천원으로 동일하다. 하지만 사고이력이 있을 경우 시간제 보험도 거절될 수 있다.

08   시간제 보험 (쿠팡이츠서비스 기준)

　　24년 8월 19일부터 쿠팡이츠서비스와 배달서비스공제조합이 연계하여 시간제보험을 출시했다. 배달한 시간만큼만 분 단위로 보험료를 지불하는 것은 동일하지만 금액이 내려갔다. 또한 기존에는 만 59세까지만 가입이 가능했지만, 공제조합 보험상품은 만 65세까지 가입할 수 있다. 1분 당 11.9원으로 1시간 기준 714원이다. 접수 후 승인은 1~3일 정도 소요된다. 가입승인 여부는 전적으로 보험사에서 관리한다. 만약 이륜차가 2대일 경우 각각 가입해야 한다.

일반 유상보험의 대물한도 최대는 1억이지만 쿠팡의 시간제 보험은 대물 한도가 2천만원이기 때문에 외제차와 사고 날 경우 한도를 초과할 수 있으니 주의해야 한다. 또한 대인1지원특약 가입을 선택할 수 있는 것이 특징이다. 만약 대인1지원특약에 가입하면 사고 시 모든 보상을 시간제 보험에서 처리하지만 미가입 시 대인1은 가입자의 가정용 보험에서 대인2와 대물은 시간제 보험에서 보상한다. 복잡하지만 일단 보험은 사고를 대비하는 것이기 때문에 다소 비싸더라도 대인1지원특약을 포함하는 것을 추천한다.

가입기준

- 연령 : 만 21세 ~ 만 69세
- 대상 : 가정용 또는 비유상용 의무보험에 가입된 오토바이

가정용 또는 비유상용 오토바이 의무보험에서 **운행할 수 없는 라이더**가 운행하다가 발생한 사고에 대해서는 보상이 제한될 수 있습니다.

보험료

- 1분 당 11.9원
- 일 7시간 초과 시 4,900원

보상 내용

대인배상	배달운행 중 사람을 상대로 배상책임을 지는 경우 대인배상1 한도 초과분에 대하여 무한보상 (단, 오토바이 의무보험 사전가입 필수)
대물배상	배달운행 중 다른사람의 물건을 상대로 배상책임을 지는 경우 최대 2천만원 한도
대인배상1지원금	배달운행 중 다른사람을 상대로 배상책임을 지는 경우 사망·장애 시 최대 1억5천만원 한도 부상 시 최대 3천만원 한도

09　오토바이 리스&렌탈

리스/렌탈의 경우 이것저것 신경 쓰지 않고 바로 출고 후 운행할 수 있다. 하지만 일 단위로 비용이 나가기 때문에 매일 장시간 운행하는 분이 아니라면 추천하기 어렵다.

장점은 초기에 구입 시 들어가는 구입비용, 유상운송 보험료, 등록세금, 배달용품 세팅비, 차량관리비 등을 절감할 수 있고 법인이나 개인사업자의 경우 월 이용료를 비용처리 할 수 있다. 또한 사고가 나더라도 개인에 대한 보험료 할증이 없다. 나이와 보험 등 조건에 따라 차이가 크지만 배달용으로 가장 많이 사용되는 오토바이인 PCX/NMAX기준으로 비용은 하루에 2만 원에서 3만 원 정도 한다. 보통 렌트/리스는 면책금 제도가 있다. 사고 한번 날 때 마다 10만원~50만원 또는 12대 중과실 위반은 기본 50만원 정도를 지불해야 한다. 면책금 제도가 없다면 월 납액이 사고 난 만큼 상승한다. 또한 사고가 일정 횟수 이상일 경우 계약갱신이 거절되거나 해촉사유가 될 수 있다.

리스 가격표 예시

125CC↓ 인수형
VAT포함

기종	계약금	결제	전연령 책임	전연령 종합	만21세 이상 책임	만21세 이상 종합	만24세 이상 책임	만24세 이상 종합	만26세 이상 책임	만26세 이상 종합	만30세 이상 책임	만30세 이상 종합	만35세 이상 책임	만35세 이상 종합
24년식 PCX125 (ABS)	50만원	월납	1,138,000	1,514,000	817,000	995,000	768,000	910,000	734,000	844,000	704,000	804,000	679,000	755,000
		일납	37,900	50,400	27,200	33,100	25,600	30,300	24,400	28,100	23,400	26,800	22,600	25,100
24년식 NMAX 125	50만원	월납	1,132,000	1,507,000	811,000	989,000	761,000	904,000	727,000	837,000	698,000	798,000	672,000	748,000
		일납	37,700	50,200	27,000	32,900	25,300	30,100	24,200	27,900	23,200	26,600	22,400	24,900
NMAX 155	70만원	월납	1,173,000	1,548,000	852,000	1,030,000	802,000	945,000	768,000	878,000	739,000	839,000	713,000	789,000
		일납	39,100	51,600	28,400	34,300	26,700	31,500	25,600	29,200	24,600	27,900	23,700	26,300
SUPER CUB	40만원	월납	25,300	1,320,000	624,000	802,000	574,000	717,000	540,000	650,000	511,000	611,000	485,000	561,000
		일납	31,500	44,000	20,800	26,700	19,100	23,900	18,000	21,600	17,000	20,300	16,100	18,700
VISION	40만원	월납	920,000	1,295,000	599,000	777,000	549,000	692,000	516,000	626,000	486,000	586,000	460,000	536,000
		일납	30,600	43,100	19,900	25,900	18,300	23,000	17,200	20,700	16,200	19,500	15,300	17,800

300CC↑ 인수형
VAT포함

기종	계약금	결제	만21세 이상 책임	만21세 이상 종합	만24세 이상 책임	만24세 이상 종합	만26세 이상 책임	만26세 이상 종합	만30세 이상 책임	만30세 이상 종합	만35세 이상 책임	만35세 이상 종합
24년식 FORZA350	70만원	월납	1,264,000	1,389,000	1,204,000	1,304,000	1,164,000	1,252,000	1,125,000	1,206,000	1,099,000	1,174,000
		일납	42,100	46,300	40,100	43,400	38,800	41,700	37,500	40,200	36,600	39,100
24년식 XMAX300TM	70만원	월납	1,248,000	1,373,000	1,188,000	1,289,000	1,149,000	1,236,000	1,109,000	1,190,000	1,083,000	1,158,000
		일납	41,600	45,700	39,600	42,900	38,300	41,200	36,900	39,600	36,100	38,600

기본 구성품 (기본장착 출고) (아래 이미지와 동일한제품이아닌 참고용 이미지입니다)

배달통

거치대

슬라이딩 짐대

배달용품 세팅

오토바이가 있어도 바로 배달을 하긴 어렵다. 개인상황에 따라 다르지만 전업이라면 다수가 사용하는 물품을 쓰면 좋다. 온라인에서 먼저 대략적인 시세를 알아보고 오프라인에서 구매해도 된다. 컴퓨터 관련 업체가 용산에 밀집되어 있듯이 오토바이와 용품은 퇴계로에 밀집되어 있으니 한번 눈으로 직접 확인하고 헬멧도 써보는 것을 추천한다. 오토바이 용품을 구매할 수 있는 곳은 "바이크마트"를 비롯해 여러 온라인 사이트가 있다.

먼저 오토바이에 필요한 기본적인 것은 배달통(딸통), 버거가방, 자석거치대, 윈드스크린, 열선(겨울용), 토시(여름용, 겨울용), 블랙박스 정도가 있다. 그 외 배달 파티션, 안개등 등은 있으면 좋고 없어도 큰 지장은 없다.

01   배달통(탑박스)

　　배달통의 종류는 매우 다양하다. 먼저 배달통 크기를 정하고, 크기에 따라 재질을 정하면 된다. 배달에 진심이라면 18인치 피자를 넣을 수 있는 크기를 고려하자. 18인치 피자는 하루에 한 번 있을까말까 할만큼 드물지만 대략 파파존스 피자 정도가 들어갈 정도라면 웬만한 주문과 배민커넥트의 B마트 3배차까지 무난하게 수행할 수 있다. 배달통 재질은 알루미늄, 플라스틱, 스티로폼 등 다양하다. 가장 무난한 것은 4각 강화 플라스틱 100L정도 크기의 배달통이다. 정사각형에 가까워 피자를 넣기도 좋고, 크기도 충분하며, 가격도 10만 원 이하로 저렴하다. 디자인이 아쉬울 수 있지만 편리성과 가성비는 가장 좋다. 최근 포도 모빌리티에서 출시된 EPP(스티로폼 비슷) 소재의 배달통은 가볍고 사이즈도 커서 사용하기 좋다. 배달통을 구매할 때는 잠금장치도 고려해야 한다. 운행 중 방지턱에서 덮개가 열리면 머리나 허리를 내려칠 수 있기 때문이다. 또한 배달통이 너무 크면 음식이 안에서 뒤집어지거나 움직일 수 있으니 배달통 안에 파티션을 넣어 내용물을 고정시켜야 한다.

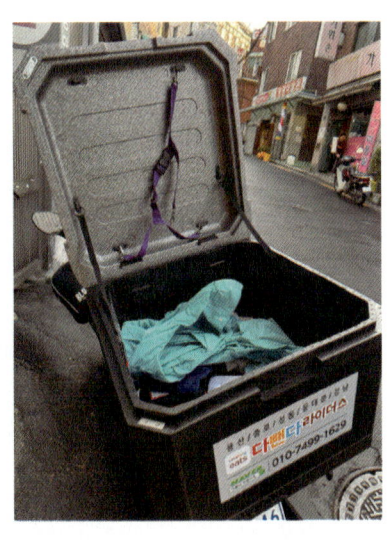

좌측 사진은 EPP소재 탑박스이다. 가볍고 용량도 커서 버거가방이 없어도 음식을 넣고 빼기 편하다. 다만 크기가 커서 안에 음식을 고정할 수 있는 별도의 칸막이나 쿠션이 필요하다. 생각보다 튼튼해서 쉽게 깨지거나 손상되지 않는다.

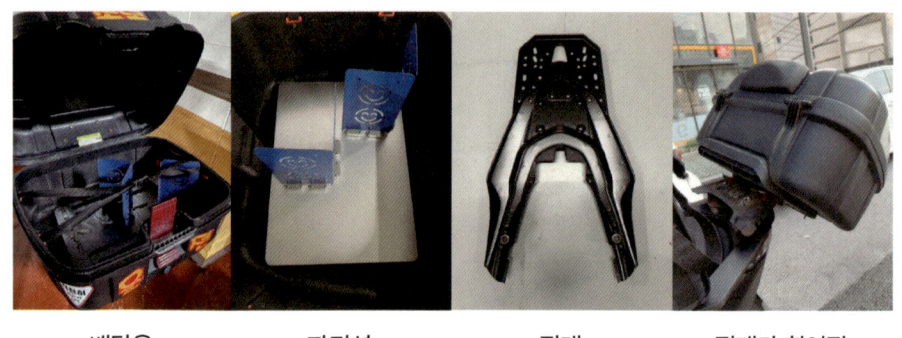

| 배달용 | 파티션 | 짐대 | 짐대가 휘어짐 |

배달통은 뒤에 바로 장착하는 것이 아니라 짐받이 혹은 브라켓을 먼저 달아야 한다. 짐받이가 약하면 주행 중 구부러지거나 부러질 수 있다. 만약 부러져서 뒷차에 손상을 입힌다면 본인 과실로 모두 보상해야 하니 유의해야한다.

차48-1 선행차량의 적재물 낙하
(A) 후행
(B) 선행(적재물 낙하)

		기본 과실비율	A0	B100
과실비율 조정예시	②	A 전용차로 위반	+10	
		A 현저한 과실	+10	
		A 중대한 과실	+20	
	③	A 안전거리 미확보	+20	
		B 전용차로 위반		+10
	①	B 야간, 악천후 등 시야확보 곤란		+10
		B 추월차선		+10
		B 현저한 과실		+10
		B 중대한 과실		+20

※사고발생, 손해확대와의 인과관계를 감안하여 기본 과실비율을 가(+), 감(-) 조정 가능합니다.

02   버거가방

　　버거가방은 보통 안장 뒤에 놓을 수 있는 크기로 하면 된다. 음식을 배달할 경우 70%는 24L 버거가방으로 충분하다. 피자나 대량주문이 아니면 사실 배달통을 쓰지 않을 때도 많다. 하지만 배달통만 있으면 콜을 수락할 때 부담 없지만, 버거가방만 있으면 주문을 수락할 때 마다 주문내역과 수량을 확인해야 하기 때문에 스트레스를 받을 수 있다.

　　버거가방은 재질에 따라 같은 크기라도 가격차이가 난다. 가격대가 있는 제품은 카멜레온 바스켓 등이 있고, 구할 수만 있다면 바로고 버거가방도 좋다. 버거가방 잠금방식이 벨크로인 경우 쉽게 해지고 바람에 열리기 쉬우니 자석방식이 좋다.

03 자석 거치대, 케이스, 딱판

    자석거치대는 핸드폰 개수 또는 종류에 따라 몇 구를 달 것인지 결정해야 한다. 핸드폰이 1개라면 1구짜리면 되고 핸드폰이 2대 또는 갤럭시 폴드시리즈라면 2구짜리 거치대를 써야 한다. 무선충전거치대도 있지만 자석 거치대가 충전도 편하고 비 올 때 호환되는 방수케이스를 사용할 수 있어 편리하다. 자석 거치대를 달면 전용케이스도 구매해야 한다. 자석을 쓰는 이유는 탈부착이 쉽고 핸드폰 충전이 되기 때문이다. 자석은 네오디움 자석이다. 일상에서 쓸 수 있는 가장 강력한 자석으로 니켈 도금되어 내구성이 뛰어나다. 자석은 N극과 S극 2종류이며 교체시 자석 원가는 2000원 이하다.

    필자도 무선 충전기로 2년 간 버텼지만, 자석충전기를 쓰기 시작하고 진작에 바꾸지 않은 것을 후회했다. 날씨가 너무 추워 충전이 되지 않으면 열선 핸드폰 케이스를 사용할 수도 있다.

  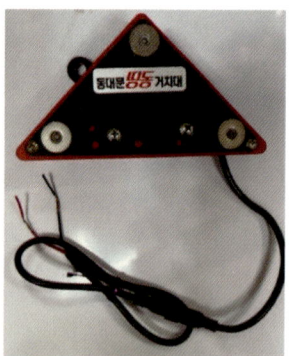

딱판과 다양한 유형의 거치대

자석거치대는 스카이샵, 퀵샵, 스피드샵, 신가몰, 몬스터샵 등이 유명하다. 일부 가게에선 아크릴을 가공해서 원하는 문구나 디자인대로 특별주문이 가능하다. 거치대는 1구기준 3~5만원, 케이스는 2~3만원이다. 자석거치대 기본구조는 +(플러스), -(마이너스) 선만 연결하면 되는 간단한 구조지만 장착을 위해선 배선작업이 필요하니 전문가에게 맡기는 것이 좋다.

자석케이스 뒷면   자석케이스 앞면   1구 거치대

2구 거치대   2구 거치대   1구 거치대

04   윈드스크린

윈드스크린을 장착하면 주행풍이 적어 피로감이 줄어든다. 대신 공기저항으로 연비가 다소 나빠진다. 또한 눈이나 비가 올 경우 시야에 방해될 수 있다. 이를 방지하기 위해 코팅제를 바르기도 한다. 운행 중 통화나 노래를 들을 때, 스크린이 없으면 바람소리 때문에 잘 들리지 않을 수 있다. 가장 좋은 것은 혼다 포르자350처럼 전동으로 스크린의 높낮이를 조절하는 것이지만, 대부분의 스크린은 장착하면 높이 변경이 어렵다. 따라서 낮은 스크린을 달고, 추가로 보조 스크린을 달아 수동으로 높낮이를 조절하는 경우도 있다.

05   윈드스크린 확장키트

스쿠터 지붕 덮개, 햇빛 가리개, 캐노피 등으로 검색하면 다양한 형태를 찾을 수 있다. 롱스크린에 장착할 수 있으며 눈, 비, 햇빛차단에 도움이 된다. 해외직구 사이트인 알리익스프레스에 검색하면 1만원대부터 10만원 이상 제품까지 있다. 개인성향에 따라 장착하면 된다.

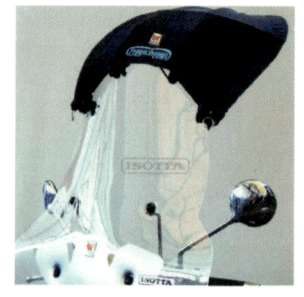

06   방수케이스

　　방수케이스의 경우 2~5만 원까지 가격대가 다양한 편인데, 부담스러울 경우 다이소에서 파는 휴대폰 방수케이스에 딱판을 구매해서 직접 만들어 사용할 수 있다. 과거에는 비닐랩으로 돌돌 감아서 사용할 때도 있었다. 만약 방수케이스가 없고 급한 상황이라면 다이소에서 지퍼팩을 사서 자석부분만 구멍을 살짝 뚫어서 넣어도 된다.

방수케이스

07   열선그립

열선은 저렴한 중국산부터 대만제까지 다양하다. 짧으면 겨울 한시즌만 사용하고 고장나는 경우도 있다. 하지만 8만 원 이상 제품은 온도조절 기능이 있고, 그립감도 좋다. 영하 15도 이하 추위에서 효과적이다. 오토바이 운행 특성상 손만 시린 경우가 종종 있기에 없으면 아쉬운 제품이다. 하지만 개인이 설치하기 어렵고, 괜찮은 제품은 장착공임까지 10만 원 수준이라 우선 토시만 달아 보고 그래도 추우면 열선을 추천한다. 최고로 추운날은 토시 안에 열선도 최고로 강하게 틀고, 토시 안에 핫팩도 넣어서 온실을 만든다. (그래도 손 시렵다).

08   핸들그립 어시스트 (엑셀 보조, 엑셀그립 서포터)

가격은 저렴하지만 장시간 운행 시 엑셀로 인해 엄지손가락에 생기는 굳은 살을 방지하고, 손목꺾임을 막을 수 있는 가성비 아이템이다. 하지만 엑셀이 민감하게 반응하기 때문에 적응하기 전까진 주의해서 사용해야 한다.

09 토시

　　토시는 주로 겨울에 추위를 막기 위해 장착한다. 토시가 있는 것과 없는 것에 따라 손시림 차이가 크다. 또한 열선을 달았을 때, 내부 열기가 밖으로 덜 빠져나간다. 겨울용 토시가 따뜻함을 위해서라면 여름용 토시는 손등의 햇빛을 막기 위해 장착한다. 손등 부분 외에는 망사로 되어 있어 바람이 통하는 구조로 되어있다. 겨울용 토시는 네오프렌, 우레탄, 비닐 등 재질이 다양하다. 재질에 따라 핸들밸런스에 고정해야 하는 것도 있다. 그 중에는 따로 열선을 내장한 것도 판매하고 있으나 이는 별도 전선연결이 필요하다.

10   쿨시트

햇볕이 강한 날엔 잠시만 세워둬도 안장이 뜨겁게 달궈진다. 그물망사로 된 쿨시트 커버를 씌우면 덜 뜨겁다. 가격은 2~3만원 선이다. 단점은 재질이 거칠어서 바지가 해지기 쉽고 피부가 약하면 쓸린다. 안장 크기에 따라 쿨시트 사이즈가 나오니 구매하기 전에 미리 확인해야 한다.

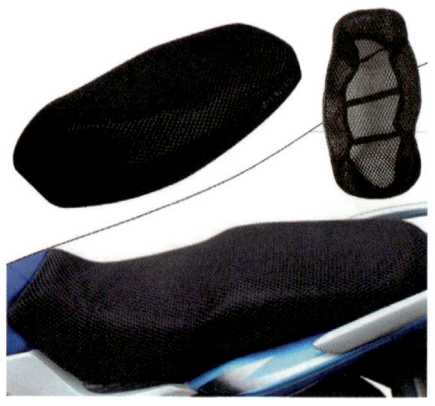

11   안장쿠션

안장쿠션 중 실리콘 재질로 벌집구조가 있다. 의자에 높는 푹신한 방석처럼 되어 있다. 실리콘 재질이 많아 따로 커버를 씌우지 않으면 찢어지기 쉽다. 또는 안장 뒤에 등받이가 있는 버킷(콤포트) 시트도 있다.

12   파킹브레이크

경사가 심한 언덕에서 사이드 스탠드로 오토바이를 주차하면 앞이나 뒤로 밀려 주차가 어렵다. 이럴 때 브레이크 레버에 장착하는 파킹브레이크를 사용하면 앞바퀴나 뒷바퀴에 브레이크를 걸 수 있어 언덕에 주차가 편리하다.

13   안개등

합법적으로 구조변경을 통해 앞바퀴 옆에 안개등을 달 수 있다. 어두운 곳에서 헤드라이트만으로 부족하고, 눈이나 안개가 심할 경우 자신의 위치를 알려주기 용이하다. 또한 포크 부분에 안개등을 장착할 경우 핸들방향에 따라 원하는 방향을 비출 수 있다. 탈리스만과 디젤 안개등이 유명하다.

14   블랙박스

오토바이 블랙박스 가격대는 적게는 30만원부터 50만원대까지 다양하다. 시동이 꺼지면 녹화가 안 되고 주로 운행중에만 녹화된다. 전방만 녹화되는 것을 1채널, 후방까지 녹화되면 2채널 블랙박스다. 보통 지넷시스템 MVR 제품을 많이 사용한다. 가격은 장착까지 50만원대. 장착을 위해선 배선작업과 카울을 분해해야 하기 때문에 전문점에 맡기는 것이 좋다.

15   그 외

기능성 튜닝으로 쇼바나 시트(안장), 브레이크 레버 등이 있다. 쇼바나 안장은 키가 작은 사람의 경우 튜닝을 통해 시트고를 낮출 수 있다. 조절식 브레이크 레버는 유격을 조절할 수 있고, 최근에는 파킹브레이크도 일체형으로 나온다. 손이 작을 경우 조절식 브레이크 레버를 추천한다. 머플러 튜닝은 출력이 약간 올라가고, 배기음이 커서 차량에게 오토바이가 있음을 인지시켜 안전에 도움이 된다고 교체하시는 분들이 있다. 하지만 소리가 클 경우 추후에 난청 위험성이 커지고, 튜닝비용도 상당하다. 또한 아파트나 신호대기 시 주변에 소음공해가 될 수 있으니 유의해야 한다.

배터리가 방전되었을 때 쓸 수 있는 휴대용 점프스타터, 타이어 펑크키트와 휴대용 타이어 공기주입기도 급할 때 유용하게 사용할 수 있다. 주말 저녁 펑크가 날 경우 수리할 수 있는 곳을 찾기 어려울 때가 있다. 펑크나 배터리 점프만 출장으로 해결해주는 업체도 있다. 오토바이 펑크는 카센터에서도 처리 가능하니 주변에 카센터가 있다면 방문해도 된다.

라이더 용품

라이더 용품으로는 헬멧, 블루투스, 보호대, 배달조끼 정도가 있으면 좋다. 추가적으로 블루투스 일체형 바디캠도 있으면 좋다.

01   헬멧

헬멧을 구매할 때는 안전성도 중요하지만 반드시 무게도 고려해야 한다. 하루 8시간 이상 쓰고 다녀야 하기 때문에 무게에 따라 피로감도 다르게 느껴진다. 헬멧이 무거우면 목에 근육통이 올 수 있다. 헬멧은 보통 1,000g~1,500g 사이인데 가능하면 1,000g대 초반 또는 그 이하 제품을 추천한다. 또한 헬멧에 선바이저(선글라스)가 내장된 제품은 햇빛이 강한 날 매우 유용하다.

주요 브랜드는 HJC(홍진), ARAI, SHOEI 등이 있다. 배달용으로 가성비 좋은 헬멧으로 그라비티가 유명하다. 이상적인 헬멧은 장시간 써도 목에 무리가 안 갈만큼 가볍고, 통풍이 잘 되며, 선바이저가 있고, 안전성이 검증된 모델이다.

헬멧 종류와 제조사는 다양하기 때문에 신중하게 결정하는 것이 좋다. 중복 투자가 가장 많은 품목이기도 하다. 따라서 한번 살 때 사이즈와 무게 등을 잘 맞춰야 한다. 만약 여유가 된다면 카본재질의 헬멧도 추천한다.

헬멧의 종류는 풀페이스, 하프페이스, 반모가 있다. 풀페이스 중에는 시스템 헬멧으로 턱 부분까지 올라가는 것이 있으니 참고하자. 하지만 배달하는 분들이 대부분 쓰는 것은 하프페이스 헬멧이다. 앞면이 모두 쉴드로 되어 있다. 대부분 하프페이스 헬멧 쉴드는 원하는 색상으로 교체가능하다. 색상도 다양하다. 하지만 쉴드 색상이 어두울 경우 지하주차장이나 밤에 잘 안 보여 쓰기 힘들다. 더운 여름에는 헬멧에 쿨패드를 장착하면 공기순환에 도움이 된다. 하지만 헬멧이 작을 경우 쿨패드가 불편할 수 있으니 유의해야 한다.

02   장갑

다양한 장갑이 있지만 일단 터치가 편해야 한다. 개인적으로 3M 장갑을 추천한다. 그립감도 좋고, 여름용과 겨울용이 따로 나온다. 일반 목장갑 보다는 비싸지만 다른 장갑보다 저렴해서 한 시즌 사용하고 바꾸기도 부담 없다.

03   블루투스(헬멧 장착)

스피커와 본체로 구성되서 헬멧 안에 스피커, 외부에 본체를 장착해서 핸드폰과 블루투스로 연동한 스피커폰이라 생각하면 된다. 가격대은 5~50만원까지 다양하다. 비모토, 포팩트가 배달용으로 많이 사용되고 그 외 고가인 세나 등 다양한 회사 제품이 시중에 존재한다. 음질, 사용시간(배터리), 가격 등을 고려해서 구매하면 된다. 한번 구매하면 2년 이상 쓸 수 있으니 너무 저가 제품 보다는 검증된 제품을 구매하는 것이 좋다.

블랙박스(카메라 녹화기능)이 포함된 포펙트(4FACT) T2 제품은 카메라와 블루투스 통화기능을 함께 사용한다면 약 7시간 정도 사용할 수 있다. 하지만 음질수준이 마음에 들지 않았다. 이후 직구를 통해 비모토 V9X 제품을 구매했는데 배터리는 물론이고 음질도 만족스러웠다. 이 부분은 개인 차이가 있을 수 있다. 한번 구매하면 1년 이상 사용해야 하고 배달하다 보면 운행 중 통화도 해야 하니 음질을 중요 시 하는 사람이면 좀 더 자세히 알아보고 구매하는 것이 좋다.

특히 윈드스크린이 없는 경우 블루투스 자체 음량이 작으면 풍절음으로 인해 고속주행 시 소리가 잘 들리지 않는다. 유의 할 사항은 블루투스 본체를 충전할 때 고속충전기를 이용하면 안 된다. 충전이 안되거나 기판이 과열로 인해 고장나는 경우가 발생한다. 소형 전자기기를 충전하는 저속 충전기(5V 1A 또는 2A)를 권장한다. 만약 따로 구매가 어렵다면 컴퓨터 USB에 연결해서 충전해도 된다.

04   자석고리

만약 배달조끼를 입지 않는다면 양손을 써야 할 때 한 손으로 핸드폰을 잡기 불편하다. 주머니에 넣기도 무겁기 때문에 자석고리만 있으면 핸드폰을 붙여 놓고 양손을 쓸 수 있다.

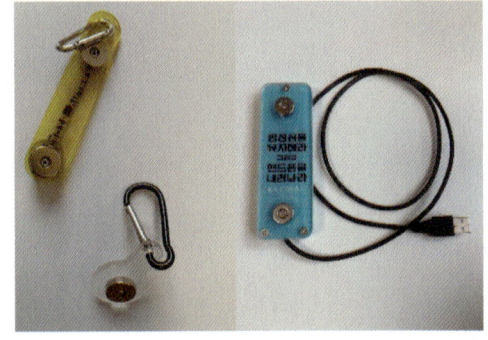

05   가정용 자석 충전기

자석거치대와 케이스를 쓰면 운행 중 오토바이에서 충전할 수 있다. 하지만 집에서 충전하기 위해 다시 케이스를 제거하려면 번거롭다. 따라서 자석 충전 케이블이나 젠더가 있으면 핸드폰을 자석케이스에 넣은 상태로 바로 충전할 수 있다.

06   바디캠

배달거지라는 말이 있다. 이는 음식물을 수령하고도 받지 못했다고 거짓말을 해서 라이더에게 음식값을 전가시키는 사람을 말한다. 이럴 때 바디캠이 있으면 유용하다. 최근에는 배민이나 쿠팡이츠 배달완료 시 사진촬영해야 완료 처리되서 그런 경우는 적지만, 예전에 쿠팡이츠는 사진을 찍어 놓지 않아 오배송 처리되는 경우가 종종 있었다. 그 외 오토바이 블랙박스가 커버하지 못하는 상황에서 바디캠이 있으면 좋다. 보통 헬멧에 많이 장착한다. 통화 블루투스 제품 중에는 카메라와 일체형으로 나온 것도 있다. 하지만 촬영을 하면 배터리 사용시간이 짧아져 장시간 운행할 경우 보조배터리를 사용해야 한다.

07   배달조끼

　　가장 흔히 볼 수 있는 검정색 배달 조끼부터 런닝조끼까지 다양하다. 주머니가 많아 오토바이 키와 각종 휴대물품을 넣고 다니기 좋다. 또한 전문 배달조끼에는 자석이 부착되어 있어서 핸드폰을 조끼에 부착할 수 있다. 만약 핸드폰을 잘 떨어트리는 편이라면 핸드폰에 안전줄을 달고 조끼에 있는 고리 부분에 연결해도 좋다. 만약 배달조끼 디자인이 마음에 들지 않는다면 스포츠나 등산 브랜드에서 나온 러닝조끼, 트레일조끼, 낚시조끼 등을 구매해도 좋다. 레저용 바이크 조끼 중에는 안전을 위한 에어백 조끼도 나와 있으니 참고하자

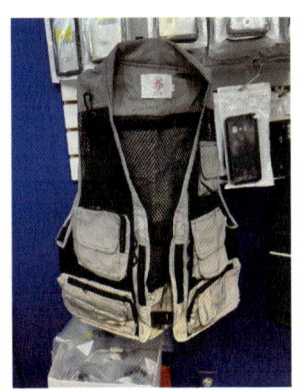

08   신발(안전화)

오토바이 전용 부츠를 신으면 좋지만 계단을 오르내리기 불편하다. 안전화라도 신으면 좋지만 이마저도 잘 안 신게 된다. 하지만 종종 대기 중 옆에서 차나 오토바이가 발을 밟고 가는 경우가 있는데, 이럴 때 안전화를 신으면 좋다. 종종 발생하는 발가락 골절 사고 또한 안전화를 신어 예방할 수 있다. 하지만 현실에선 평소엔 오래 걷기 편한 일반 운동화, 비올 때는 크록스를 많이 신게 된다. 고어텍스 운동화도 있지만 폭우가 내리면 결국 다 젖게 된다. 연세가 좀 있으신 분이고, 젖는 것이 싫다면 장화를 신는 것도 좋다. 겨울에는 방한화와 발바닥 핫팩을 쓰면 버틸 수 있다. 방한화는 다양한 편이라 취향에 따라 구매하면 된다. 하지만 중복 투자를 막기위해 가격대가 있더라도 한번 살 때 좋은 것을 구매하는 것을 추천한다.

09 무릎, 팔꿈치 보호대

안전을 위해 착용하면 좋지만 막상 귀찮아서 잘 착용하지 않게 된다. 보통 무릎과 발꿈치 보호대를 많이 착용한다. 라이딩 용품으로 상의에 보호대가 장착되서 나온 자켓도 있다. 착용하는게 안전을 위해 좋지만 아무래도 움직임이 다소 불편할 수 있다. 특히 겨울에는 그나마 나은데, 더운 여름에는 착용하는 것 자체가 고역이다.

제3장

배달 플랫폼 가입

음식배달의 양대산맥으로 "쿠팡이츠 배달파트너"와 "배민커넥트"가 있다. 둘 다 가입하는 것을 추천한다. 둘 중 자신이 사용하기 익숙한 지도를 고려해서 선택하는 분도 있다. 배민1은 앱 상에서 카카오맵과 네이버지도, 쿠팡이츠는 카카오내비 또는 Tmap과 연동된다. 일부 지역에는 두잇이나 딜리래빗, 카카오T픽커 같은 배송앱이 있다. 이 책은 쿠팡이츠 배달파트너와 배민커넥트를 중심으로 설명한다.

운영시간: 서울을 기준으로 쿠팡이츠는 오전 6시부터 다음날 새벽 3시까지 서비스를 제공한다. 배민커넥트는 8시부터 새벽 3시까지였으나 2024년 7월 9일부터 서울 및 경인지역에 6시~3시로 확대됐다. (B마트와 배민스토어 제외)

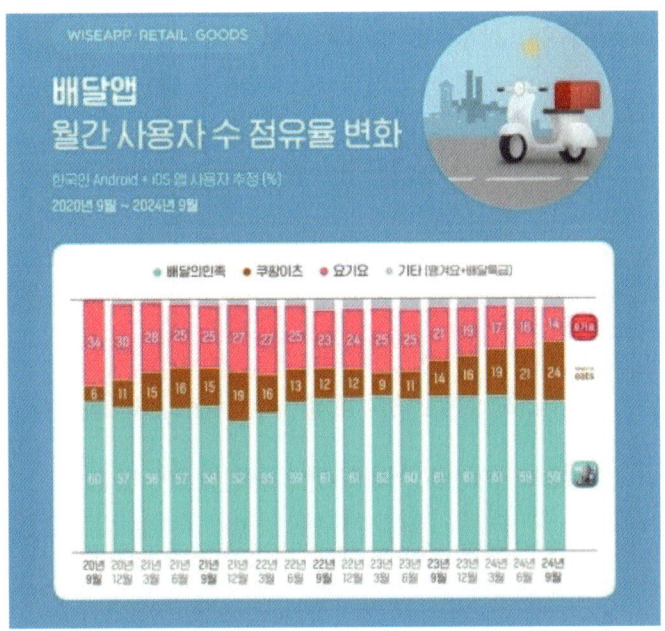

2024년 국내 모바일 앱 순위 중 "배달의 민족"은 사용량 기준 2~10위권 안에 포함된다. 반면에 쿠팡이츠는 11~54위권 안에 포함되어 다소 격차가 있다. 하지만 꾸준히 격차는 줄어 들고 있다. 한 때는 국민 앱으로 불리던 배달의 민족이지만 2019년 말 김봉진 창업자는 4조 7,573억원에 99%의 지분을 독일계 딜리버리히어로(DH)에 매각했다. 이후 2020년 4천억원 2023년 7천억원의 영업이익을 거뒀지만 자유로운 기업문화와 자영업자 및 라이더와 상생이라는 배민의 철학이 희미해졌다는 평가를 받는다.

반면에 쿠팡이츠의 2023년 영업이익은 77억원으로 후발주자지만 2024년 와우 회원 무료 음식배달로 점유율을 늘리기 시작했다. 또한 쿠팡이츠플러스라는 배달대행 협력사를 모집하여 배민커넥트에 비해 신속한 배달문화를 만들어 가고 있다. 2024년 기준으로 쿠팡이츠의 공격적인 마케팅과 운영전략을 배달의 민족(우아한 형제들)이 오히려 쫓아가는 모습이 보인다.

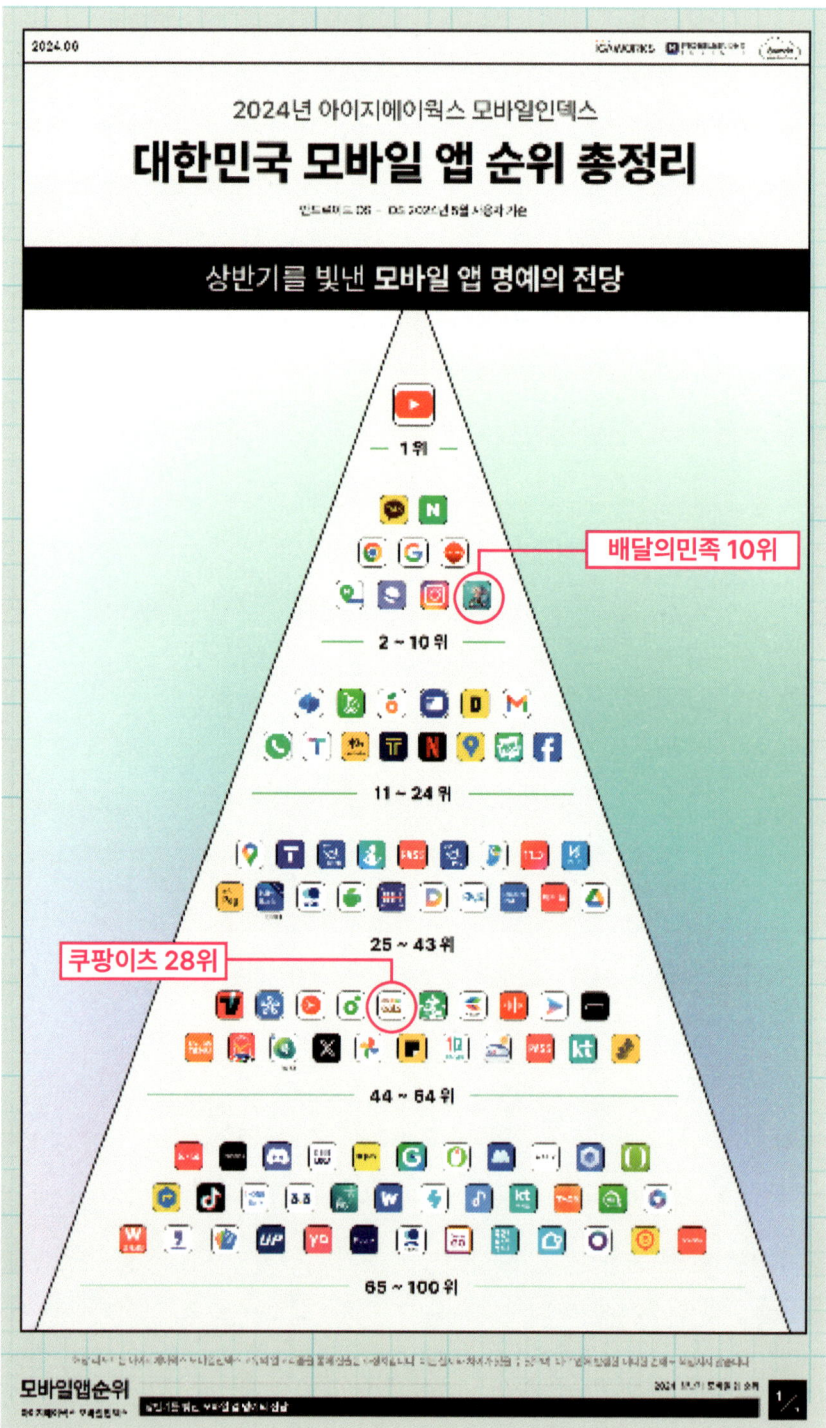

01   쿠팡이츠서비스 유한(https://www.coupangeats.com)

  2019년 5월 기존 배달대행업체와 차별화된 한집만 가는 "단건배달"을 강조하며 서비스를 출시했다. 초기 쿠팡본사에서 시작했으나 2021년 4월 14일 쿠팡그룹 계열사로 분리했다. 법인명은 〈쿠팡이츠서비스 유한〉으로 음식배달 대행 서비스업에 집중했다. 하지만 쿠팡이츠서비스가 출범해도 고객이 배달을 주문하는 플랫폼인 쿠팡이츠의 운영주체는 현행 그대로 쿠팡이고, 쿠팡이츠서비스는 음식점과 쿠팡이츠 배달 파트너 및 배달협력사(쿠팡이츠플러스)를 지원한다. 즉 쿠팡이츠(앱)는 쿠팡이, 음식점과 배달라이더가 사용하는 쿠팡이츠 배달 파트너(앱)는 쿠팡이츠 서비스가 운영하며, 상점과 배달 파트너를 응대하는 것으로 보인다. 2023년 12월 31일 기준 출자금 70억원은 쿠팡이 100% 소유하고 있다. 2023년 매출 7,925억원이며 대졸초임은 2,950만원 수준이다. 실제 쿠팡㈜ 본사는 잠실(서울특별시 송파구 송파대로 570 18층)에 있지만 쿠팡이츠서비스는 강남구 테헤란로 322(역삼동, HJ타워)에서 판교로 이사했다.

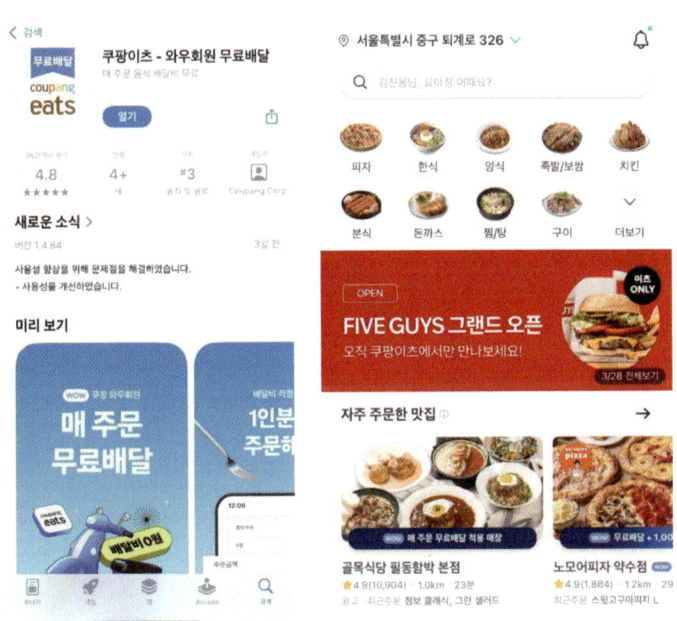

소비자가 쿠팡이츠 앱에서 주문하면 쿠팡이츠 소속배달원(특수고용직)이 음식을 픽업해 바로 소비자에게 전달하는 방식이다. 기존 배달대행업체는 여러 음식을 픽업하고, 같은 방향에 있는 여러 고객에게 전달하는 묶음배달방식이라 "치킨에서 족발냄새"가 나는 상황이 발생하곤 했다. 이런 상황에서 쿠팡이츠는 단건배달 초기에 라이더에게 과감한 프로모션을 지급하며 "단건배달"이라는 새로운 포지션을 자리시켰다. 단건배달을 수행하는 배달파트너는 '일반쿠리어'라 불리며 출퇴근이 자유로운 특고직으로 쿠팡이츠 서비스 지역이라면 배달파트너 앱으로 어디서나 배달오더를 받을 수 있다. 운송수단은 도보부터 킥보드, 자전거, 오토바이, 자동차 등 다양하게 설정할 수 있다. 하지만 2024년 여름부터 쿠팡이츠는 멀티배달(세이브 배달)로 최대 3건까지 묶음으로 배송하고 있다.

02　쿠팡이츠 배달파트너(앱)

접근성이 가장 좋은 앱은 쿠팡이츠 배달파트너다. 유상보험을 들지 않아도 면허증만 있으면 오토바이로 설정하고 운행이 가능하다. 쿠팡이츠의 가장 큰 특징은 미션이다. 수시로 미션을 주는데 미션을 위해 가족 명의로 계정을 여러 개 만들고 좋은 미션이 들어온 계정으로 운행하는 라이더도 많다. 미션은 장시간 안 타는 사람 위주로 주기 때문에 본인 계정으로 미션이 들어오면 타다가, 미션이 안 들어오면 일주일 정도 배민을 타거나 다른 미션이 들어온 계정을 타는 방식으로 최대한 미션을 받는다.

유상보험을 들지 않기 때문에 초기투자 비용이 적다. 오토바이와 면허증만 등록하면 누구나 배달할 수 있다. 하지만 배달하다 사고를 내 가해자가 될 경우 모든 책임을 본인이 부담해야 한다. 앱과 연동되는 네비게이션은 Tmap과 카카오네비다. 거절율이 높으면 일주일 간 계정이 정지될 수 있다. (구치소처럼 쿠치소라 부른다) 정지 기준이 명확하지 않은데 한건도 배달하지 않고 계속 거절하거나 콜 요청에 무응답할 경우 정지될 가능성이 높다.

쿠팡과 쿠팡이츠는 다른 독립된 법인이다. 우리가 흔히 앱에서 로켓배송으로 물건을 주문하는 쿠팡이 본사라면 쿠팡이츠서비스는 자회사다. 쿠팡 와우클럽에 가입하면 쿠팡이츠 주문액의 10% 할인이 제공된다(2023년 7월 기준). 쿠팡이츠의 경우 서울에서 특히 강남에서 주문량이 많다. 실제로 쿠팡이츠에서도 제일 중요하게 생각하는 지역이 강남이다(비공식적인 자리에서 담당자가 말한 내용이다.) 강남 주문량이 많기도 하고, 쿠팡이츠가 시작한 단건배달은 가격에 덜 민감한 강남지역 고객에게 잘 맞는 것 같다. 쿠팡이츠서비스 본사도 강남 테헤란로에 있고, 배달파트너 또는 플러스와 관련된 여러 정책도 강남서초 지역에서 먼저 시행된 후 성공하면 다른 지역으로 확장되는 경향이 있다.

고객주문 화면
사진처럼 쿠팡이츠 고객(와우회원 한정)이 주문할 때 "배달유형"을 선택할 수 있다. "무료배달"일 경우 멀티배달 시 뒤에 배정된다. "한집배달"도 멀티배달로 배정될 수 있는데, 이 경우 픽업 후 첫번째로 배달된다. 고객은 실시간으로 라이더의 상태와 이동경로를 확인할 수 있다.

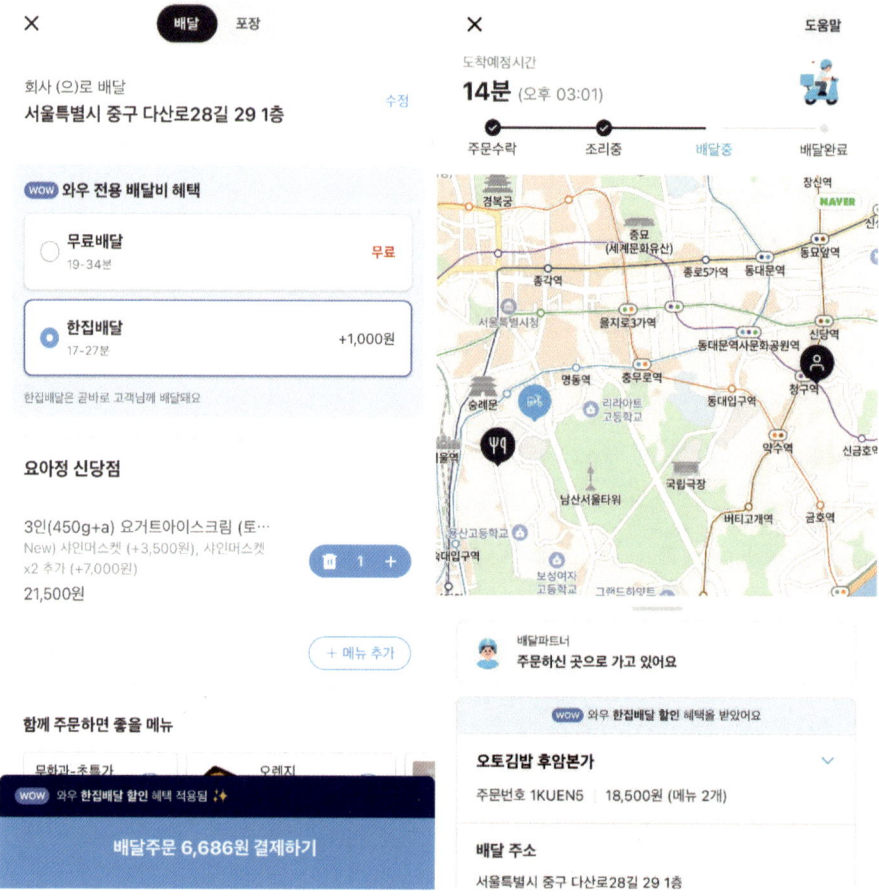

무료배달은 정말 무료일까?

2024년 11월 기준으로 "무료배달"이라는 표현이 사용되고 있지만 고객이 배달 앱에서 음식을 주문하면 건당 배달비는 3000~5000원(기본요금 기준)씩 라이더에게 지급되고 있다. 이 비용은 결국 음식값에 포함되어 있기 때문에 플랫폼은 소비자 또는 판매상점에 비용을 전가할 수밖에 없다. 일부 상점은 매장가격과 플랫폼 내 판매가격을 다르게 책정하여 수수료를 보전하고 있다.

03   멀티배달(쿠팡이츠 배달파트너)

배달의민족 알뜰배달과 유사하게, 경로 상 동선이 겹치는 픽업지와 전달지를 2건 이상 묶어서 배정하는 것을 쿠팡이츠에서는 "멀티배달"이라 한다. 고객입장에서 멀티배달은 "무료배달(세이브배달)"이라는 명칭으로 불린다. 2023년 6월 송파구를 시작으로 확대되었고, 2024년 3월부터 와우회원에게 무료배달을 시작했다.

멀티배달 라이더화면

이전에도 기상상황이 나빠 주문 대비 라이더 출근율이 저조하면 "최적화배달"로 2건을 묶어서 주기도 했다. 최적화배달과 멀티배달의 차이는 "가격"이다. 최적화 배달은 각 배달에 대한 단가를 따로 줘서 픽업과 전달에 대해 따로 4000원+5000원이면 총 9000원을 줬다. 반면, 멀티배달은 추가 1건에 대해서는 첫 픽업지부터 가건 별 직선거리 총합을 기준으로 한다. 쉽게 말해 2건 배달하면서 1건은 적은 돈을 받고 추가로 배달하는 방식이라 보면 된다.

고객이 주문할 때 "무료배달"을 선택하면 주로 멀티배달 순서 중 후순위에 배정된다. 멀티배달은 픽업과 전달에 순서가 있어 단건배달로 주문한 고객이 먼저 받게끔 설정되어 있다. 배달순서를 어길 경우 라이더가 패널티를 받을 수 있다.

04   쿠팡이츠 플러스

쿠팡을 하는 사람은 크게 플러스와 일반쿠팡으로 나눌 수 있다. 일쿠는 일반 쿠팡을 의미한다. 일반 쿠팡은 자유롭게 실시간 단가에 따라 운행하면 된다. 반면에 쿠팡이츠 플러스는 쿠팡이츠가 아닌 쿠팡이츠와 계약한 협력사 소속이다. 피크시간과 비피크 시간에 따라 기본단가는 정해져 있고 거리에 따라 할증이 붙는다. 또한 권역이 정해져 있어 해당 권역을 벗어난 콜은 받지 않는다.

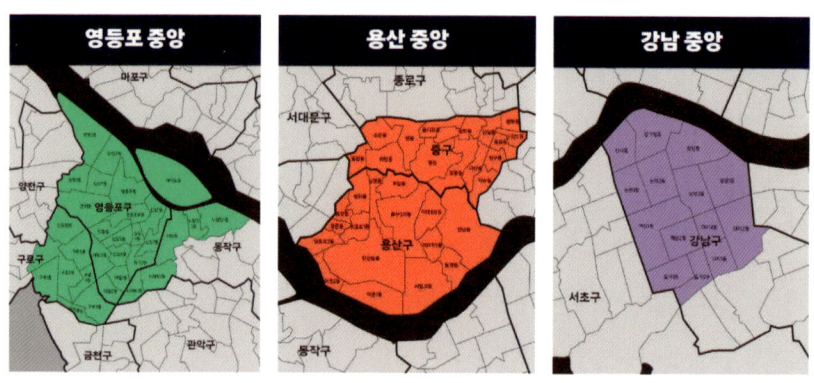

서울 전 지역은 위의 지도처럼 쿠팡이츠 플러스가 운행하는 지역이 정해져 있다. 2023년 가을부터 경기도권으로 확대되고 있다. 각 시간대 별로 정해진 물량을 채우면 쿠팡에서 해당 사업자에게 관리비를 지급한다.

아침논피크(6:00~10:54), 점심피크(10:55~12:59), 오후논피크(13:00~ 16:54), 저녁피크(16:55~19:59), 밤논피크(20:00~02:59)까지 구간별 할당량을 완수해야 한다. 소속은 쿠팡이츠와 계약된 별도의 사업자 소속 특고직이며 거절은 하루 10% 이내로 제한된다. (10개 타면 1개 거절 가능)

1SET기준	아침 (06:00~10:54)	점심피크 (10:55~12:59) (10:55~13:59)	점심피크 후 (13:00~16:54) (14:00~16:54)	저녁피크 (16:55~19:59)	저녁 피크 후 (20:00~02:59)	총 물량
월요일	3	12	14	24	17	70
화요일	3	12	14	24	17	70
수요일	3	12	14	24	17	70
목요일	3	12	14	24	17	70
금요일	4	12	15	27	22	80
토요일	6	24	16	30	24	100
일요일	6	25	18	31	20	100
총 물량 및 지급 관리비		280,000원 / 1SET (일주일 기준)				560

① 점심 피크 시간대 주중/주말 시간대 상이함에 따른 점심피크, 점심 피크 후 시간 대 다르게 적용.

05 ㈜우아한 청년들

우아한형제들그룹 계열사로 2023년 매출 3조 4,134억원이다. 2015년 배송 및 물류 운영 대행 사업을 주요사업으로 하는 "배민라이더스"를 운영할 자회사로 설립되었다. ㈜우아한형제들이 100% 지분을 보유하고 있다. 본사는 서울 송파구 올림픽로35다길 32에 두고 있다. 배달의민족(앱) 내에서 배민1, 배민B마트, 주문이 들어오면 "배민커넥트 어플리케이션"을 통해 라이더에게 배차하고 고객에게 음식 또는 상품을 배달할 수 있는 시스템을 운영한다. 라이더들 사이에서는 "배민"으로 통한다. 2022년 4월부터 "배민라이더스쿨"을 운영하고 있다. 분기별로 교육을 받으면 다양한 혜택을 받을 수 있다.

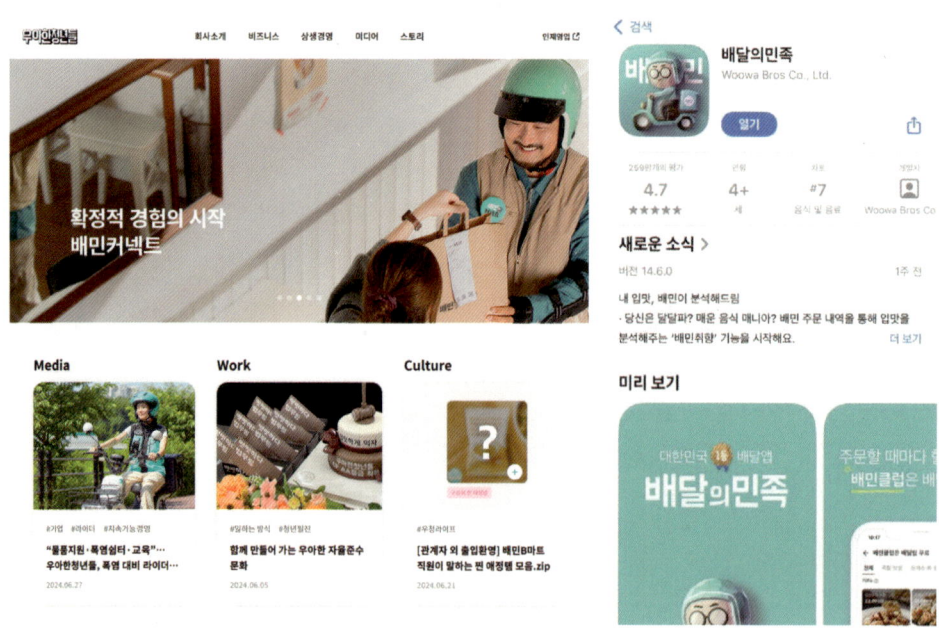

06   딜리버리앤

　　2022년 7월에 출범한 우아한청년들 자회사로 배민원과 B마트 콜을 전담한다. 서초와 강남지역에서 운영 중이다. 정규직(4대 보험)과 유상보험 오토바이 및 헬멧, 조끼, 보호대 등 안전장비를 지원한다. 기본급(연 3120만원)과 성과급 연 최대 4,644만원을 지급한다. 3개월 간 수습기간이 있으며, 3개의 근무시간대 [11:00-22:00 (90분 휴식), 11:00-20:00 (60분 휴식), 13:00-22:00 (60분 휴식)] 중 선택 할 수 있다. 면접과 서류평가를 거치기 때문에 음주 등의 경력이 있으면 입사가 어렵다. 하지만 강남과 서초지역에서 플랫폼 라이더로 자유롭게 운행하는 것과 수입을 비교하면 매력적이지 않아 가입경쟁이 치열하진 않다. 4대 보험이 꼭 필요한 분이나 강남과 서초지역에서 처음 시작하며 초기에 오토바이를 구입과 유상보험료가 부담되는 분이라면 시도 해볼만 하다.

07　배민커넥트(앱)

자동차, 자전거, 킥보드, 보도, 오토바이 중 선택하여 "배달의민족" 앱에서 실시간으로 주문을 배차 받을 수 있다. 주문만 있으면 시간과 장소에 구애받지 않고 자유롭게 일 할 수 있다. 배달 건수와 거리에 따라 수입이 즉시 계산된다. 과거에는 유상보험(책임 또는 종합)에 가입하고 2시간 동안 온라인 안전교육을 이수해야 하는 진입장벽이 있었다. 2024년 기준 성인(내국인)이면 누구나 가능하다. 배민커넥트의 특징은 설정에서 "AI 추천배차 모드"와 "일반배차 모드"를 선택할 수 있다는 것이다. AI추천배차 모드는 쿠팡처럼 내 위치를 기준으로 자동으로 콜을 추천해준다. 반면에 일반배차 모드는 내 위치 기준으로 주변 콜 목록을 보여주고 내가 직접 골라 운행할 수 있다. 하지만 콜이 없을 때는 일반배차 모드로 콜을 잡기 힘들다. 앱과 연동되는 네비게이션은 카카오맵과 네이버 지도다.

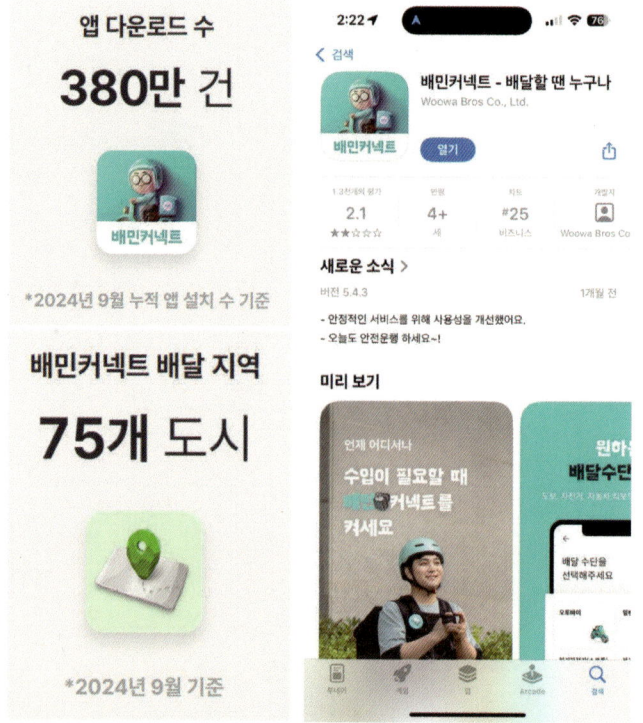

미션은 거의 없는 편이지만 가끔 축구경기 같은 특수한 날 따로 미션을 제공할 때도 있다. 그 외에는 콜비(배달수수료)가 전부다. 쿠팡에 비해 현재 내 위치에서 픽업거리가 짧은 편이다. 거절을 많이 한다해도 정지가 되는 않지만 오배송 등으로 음식값을 물어내야 하는 경우 하루 안에 입금하지 않으면 계정이 정지된다. 이전에는 "과도한 거절"이라고 해서 "AI추천배차 모드"로 운행 중 하루에 일정 갯수 이상 거절 시 다음 콜을 받는데 3분 정도 지연됐다. 즉 "과도한 거절" 상태에서 배차를 거절할 경우 3분동안 콜이 들어오지 않아 가만히 기다려야 했다.

08   B마트

배민의 또다른 특징은 "B마트"를 운영한다는 점이다. 우아한 청년들에서 운영하는 온라인 상점으로 "배달의민족" 앱에서 주문하면 실시간으로 오토바이 라이더가 배송한다. 식재료와 생활용품, 최근에는 핸드폰과 닌텐도 같은 전자제품까지 판매한다. 역삼, 양재, 교대, 공덕, 명동, 신설동 같은 번화가에 위치하고 있다. "배달의민족" 앱에서 B마트 카테고리가 따로 있다. .

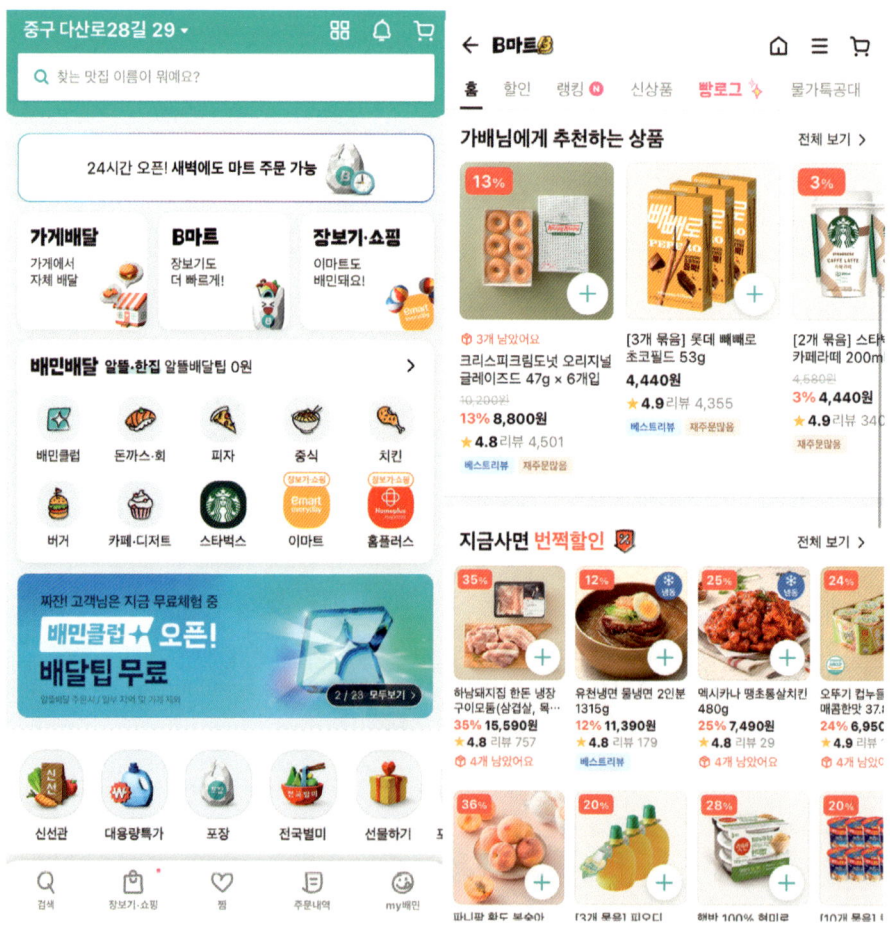

B마트 내부모습

배달의민족 B마트는 주문 후 배달까지 약 30분 정도 소요된다. B마트는 3건까지 묶음배송이 가능한 대신 배달료가 음식배달에 비해 저렴하다. 하지만 비피크 타임에는 음식배달 단가도 낮아지니 오히려 B마트 3건을 묶어서 배달하는 것이 더 나을 때도 많다

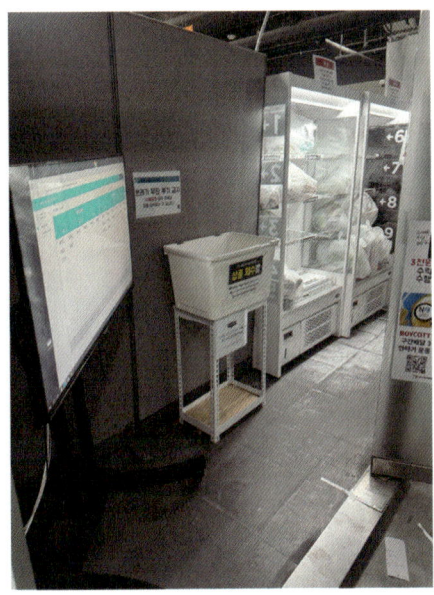
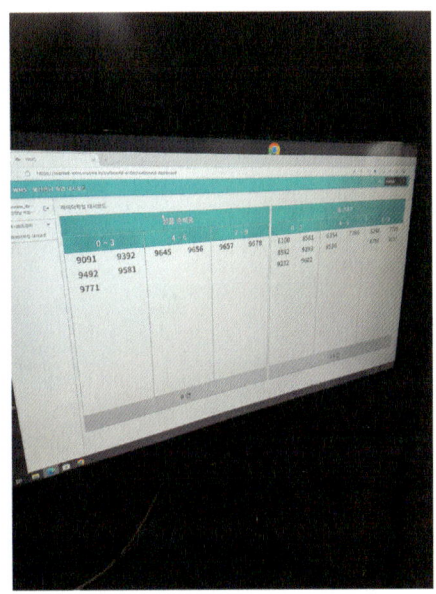

09　배민라이더스쿨

　안전한 배달 라이딩을 위한 교육기관으로 우아한 청년들에서 운영하고 있다. 2023년 기준 경기도 남양주시 화도읍 가구단지중앙길 95에 위치한다. 분기에 따라 상반기에는 "기본과정"으로 하반기에는 "향상과정"으로 나눠진다. 상반기에는 오토바이 타는 자세부터 실제 브레이크를 잡는 요령까지 라이딩 관련 이론과 실습과정으로 편성되고, 하반기는 사고가 자주 일어난 장소, 시간, 유형 등을 교육한다. 그 외 응급처치, 보험, 세법 등 교육을 수시로 진행하고 있다. 이전에는 정기교육에 참석하면 교육비 5만원 지급했으나 23년 하반기부터 지급하지 않는다. 교육일에는 미리 신청하면 잠실에서 셔틀버스를 타고 갈 수 있다.

10 배달의 민족 고객주문 화면

배민도 고객이 주문할 때 "알뜰배달"과 "한집배달" 중 선택할 수 있다. 고객은 실시간으로 라이더의 상태와 이동경로를 확인할 수 있다. 쿠팡이츠의 와우회원 무료할인처럼 "배민클럽"에 가입하면 정액을 내고 무료배달을 사용할 수 있다. 알뜰배달로 주문할 경우 쿠팡의 멀티배달과 동일하게 여러 집을 거쳐 받을 가능성이 높아진다.

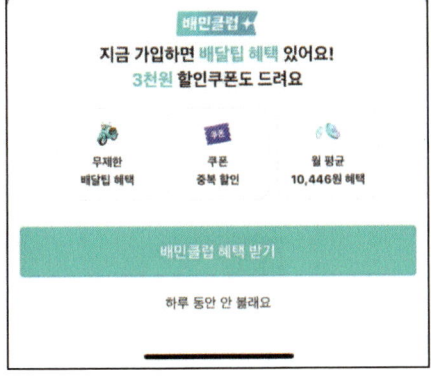

11   알뜰배달 배차화면

배민은 2023년 3월부터 '알뜰배달'을 시행 중이다. 기존 배민1의 한집배달이 30분 이내 배달을 목표로 했다면, 알뜰배달은 소비자의 배달비를 줄이기 위해 약 1000원 저렴하게 내놓은 서비스다. 라이더에겐 "구간배달"로 기존 "단건배달"이 "픽업→전달"이었다면 구간배달은 "픽업→픽업→배달→배달"이다. 하지만 콜이 없을 경우 구간배달로 "픽업→배달" 하나만 가는 경우도 종종 있다. 이 경우 배달료는 구간배달로 낮지만 사실상 "단건배달"이기 때문에 좋지 않다.

12 배민커넥트비즈

쿠팡이츠 플러스가 자리 잡은 후 24년 봄부터 배민도 협력사를 통해 라이더를 모집하고 협력사에 시간대 별 할당량에 따른 관리비를 지급하고 있다. 협력사 사업주는 배민과 별도로 계약을 맺은 개인사업자 또는 법인이다. 협력사의 운영정책에 따라 콜비(건당 배달료)에 수수료를 받을 수도 있고, 자체적인 프로모션을 진행할 수 있다. 배민 입장에서는 협력사를 통해 안정적으로 라이더를 모집 및 유지할 수 있고, 라이더 입장에서는 고정된 단가를 보장받을 수 있다. 거절율 10% 제한과 시간대별 할당량 등 쿠팡이츠 플러스와 운영정책 대부분이 동일하다.

> **공지**   2024.06.25
>
> **[배민커넥트 협력사] 사장님을 모집합니다**
> 전체
>
> 배민커넥트 협력사란 무엇인가요?
> - 라이더를 직접 모집 및 관리하고 배달의민족에서 제공하는 배달물량(배민배달 한정)을 수행합니다.
> - 초기 투자 비용 및 별도 가입비 없이 지역 내에서 최적화된 배차를 제공받을 수 있습니다.
>
> 협력사는 어떤 일을 하게 되나요?
> - 협력사에서 활동할 라이더를 직접 모집해요
> - 협력사 라이더를 관리하고 정해진 배달 물량을 수행해요
> - 수행한 물량에 따라 관리수수료와 배달비를 주 단위로 지급 받고 수익을 창출해요
> - 협력사 라이더에 배달비를 직접 정산해요

3-5. 발주 시간대별 물량 (일 처리량 1세트 기준)

구분	월	화	수	목	금	토	일
일 처리량	100	100	100	100	110	120	120
발주 시간대별 물량							
아침점심피크 (06:00~12:59)	20	20	20	20	29	32	32
오후논피크 (13:00~16:59)	18	18	18	18	17	18	18
저녁피크 (17:00~19:59)	34	34	34	34	35	38	38
심야논피크 (20:00~02:59)	28	28	28	28	29	32	32

1. 서울A_라이더 배달료

배달	액션 비용		거리 비용(100m당)
	픽업	전달	
	700	700	80

할증		배차방식	단건	일반
	기상할증	-	1,000	500
	피크할증 (평일)	아침논피크(06:00~10:59)	1,600	1,300
		점심피크(11:00~12:59)	2,200	1,700
		오후논피크(13:00~16:59)	1,600	1,300
		저녁피크(17:00~19:59)	2,300	1,800
		심야(20:00~03:00)	1,600	1,300
	피크할증 (주말)	아침논피크(06:00~10:59)	1,600	1,300
		점심피크(11:00~13:59)	2,400	2,000
		오후논피크(14:00~16:59)	1,700	1,500
		저녁피크(17:00~19:59)	2,800	2,500
		심야(20:00~03:00)	1,900	1,600

별첨 4. 관리 수수료 지급 기준/SLA(Service Level Agreement)

4-1. 물량 달성 점수 (60점)
- 해당 요일/시간대 물량 달성 시 점수 획득 가능 (단위: 세트)

	월	화	수	목	금	토	일
아침점심피크	2	2	2	2	2	3	3
오후	2	2	2	2	2	2	2
저녁피크	3	3	3	3	3	3	3
심야논피크	1	1	1	1	2	2	1

4-2. 배차 수락 점수 (40점)
- 주단위 평균 수락률 계산

구분	60% 미만	60% 이상 ~85% 미만	85% 이상 ~90% 미만	90% 이상 ~98% 미만	98% 이상 ~100% 이하
점수	0	20	25	30	40

4-3. 수수료 금액

구분	80점 미만	80점 이상 ~85점 미만	85점 이상 ~90점 미만	90점 이상 ~98점 미만	98점 이상 ~100점 이하
건당 관리수수료	0원	300원	400원	500원	600원

4-4. 예외사항
- 특정 수준 이상의 악천후(강)의 경우에는 SLA 적용 제외
    - 예) 화요일 18시~19시 악천후(강) 발생 시, 화요일 [저녁피크] 구간은 점수 달성으로 인정
    - 악천후(강) 기준
        - 우천 : 평균 강수량 90mm 이상
        - 설천 : 평균 적설량 10cm 이상
        - 태풍 주의보 및 경보 발령

4장

배민커넥트 & 쿠팡이츠
회원가입 및 화면

01   배민커넥트: 가입절차

배민 커넥트에 가입하기 위해선 핸드폰을 인증한 후 계정을 생성한 후 안전교육을 받아야 한다. 안전교육은 2시간 정도 소요된다. 제대로 듣지 않고 켜 놓기만 하는 경우가 많다. 하지만 배달을 해본 적 없는 분이라면 따로 시간을 내서 들어보는 것을 추천한다.

1. 배민커넥트 라이더/커넥터 계정을 생성 후 순서에 맞게 진행해 주세요.
2. PC또는 모바일에서 https://woowahan.wisehrd.com/ 에 접속합니다.
3. 온라인 안전교육에 최초 1회 가입을 진행합니다.
4. 로그인 합니다.
5. 영상 2편을 시청하고 퀴즈를 풉니다.
6. 수료가 완료되었습니다. 이제 배민커넥트 앱에 접속합니다.
7. 오토바이, 자동차 수단의 경우 보험 확인이 추가로 진행됩니다.
8. 이제 배달을 하실 수 있습니다!

휴대폰 본인인증을 진행해주세요

신규 가입을 위해 아래 버튼을 눌러 휴대폰 본인인증을 진행해주세요.

본인인증 관련 안내
- 만 19세 이상 누구나 지원 가능합니다.
- 외국인은 F-2(거주), F-5(영주), F-6(결혼 이민)만 가입이 가능합니다.
- 본인인증 실패, 개명 등 기타 문의는 지원센터로 문의해주세요.

02   배민커넥트: 안전교육 (약 2시간 소요)

안전교육은 1편과 2편으로 나눠져 있고, 나중에 다른 배달 플랫폼에서 안전교육 이수증을 요구할 때 배민에서 받은 것을 제출해도 된다.

교육듣기

안전교육 1편

03   배민커넥트: 로그인 및 보험인증

배민커넥트 로그인 화면이다. 아이디는 배민에서 핸드폰 번호 뒷자리를 기준으로 만들어졌는데, 요즘에는 영문알파벳으로도 나온다. 저자는 21년도에 가입했는데 핸드폰 번호 뒷자리에 01이 더 붙었다. 핸드폰 인증화면 추가 로그인 시 아이디에 따라 고유의 핸드폰이 등록되어 있다. 따라서 핸드폰을 바꿀 경우 다시 핸드폰을 다시 인증 받아야 한다. 핸드폰 명의와 상관 없이 로그인 할 수 있다. 다만 핸드폰 하나로 다수의 아이디를 이용할 순 없다. (핸드폰이 이미 인증되어 있을 경우 해당 핸드폰에서 다른 배민 아이디로 로그인 할 수 없다.)

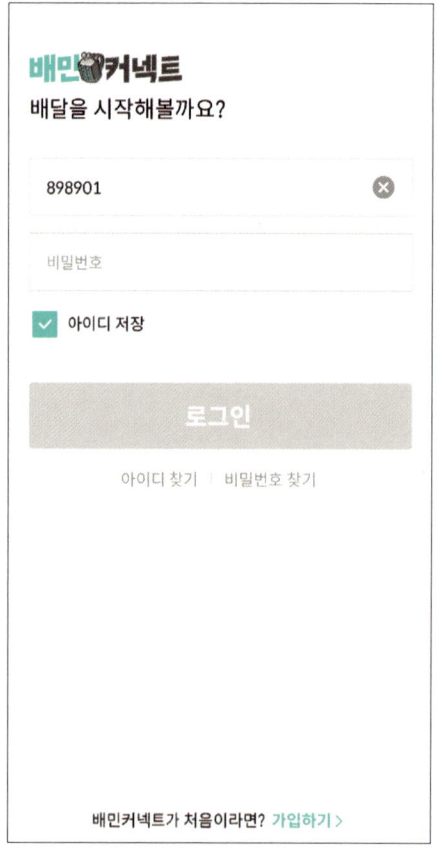

04　배민커넥트: 배차방식

처음 접속하면 "AI추천배차 모드"와 "일반배차 모드"가 있다. 일반대행에서 일해보신 분이라면 "일반배차 모드"가 익숙할 것이다. 하지만 비가 올 때 처럼 콜이 밀리지 않으면 일반배차 콜창에는 콜이 잘 뜨지 않으니 참고하자. 대부분 "AI추천배차 모드"로 운행한다. 같은 콜이라도 AI추천배차 단가가 더 좋은 경우가 있다.

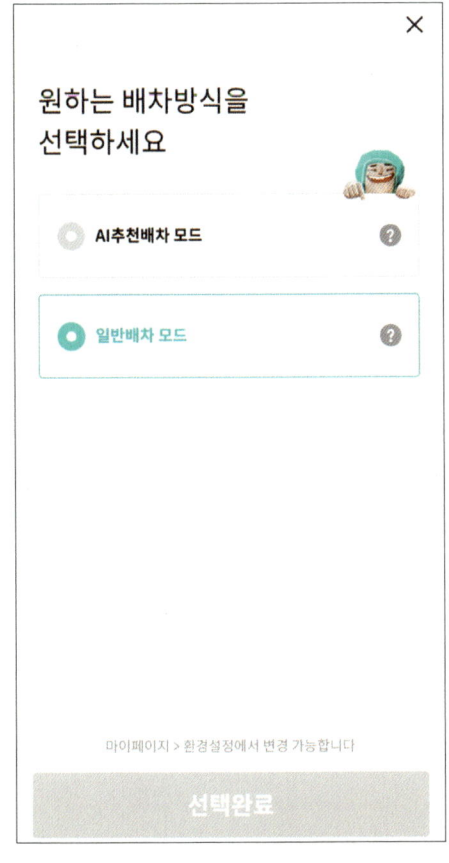
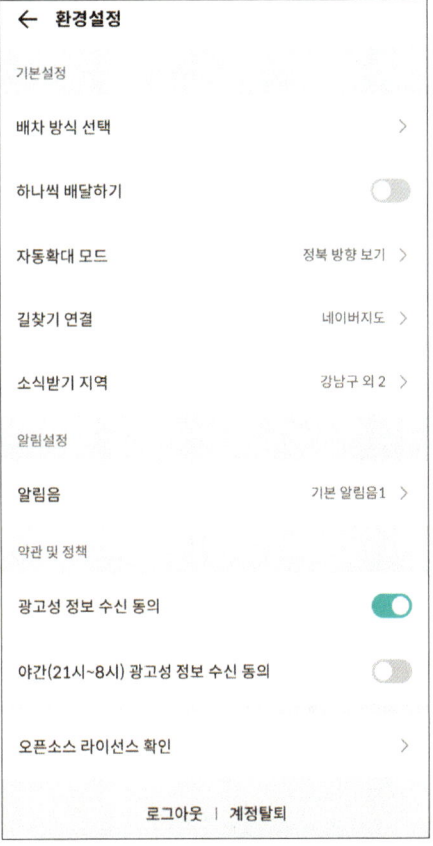

05   배민커넥트: 배차화면

왼쪽은 AI추천배차, 오른쪽은 일반배차 화면이다. AI추천배차는 나의 현재 위치를 기반으로 "조리완료" 시간을 고려해 자동으로 콜이 온다. 반면에 일반배차는 내 주변 상점의 주문리스트가 뜨고 그 중에 하나를 내가 선택해 수락을 눌러야 한다. 특별한 경우가 아니라면 요즘엔 일반배차모드를 잘 사용하지 않는 편이다. 배민커넥트는 쿠팡이츠 배달파트너와 달리 지역이 나눠져 있어 배달지역이 바뀔 경우 고객센터를 통해 지역을 변경해야 한다. 과거에는 지역이 2~3개 행정구 단위로 좁았으나, 현재는 (2024 서울 기준) "수도권 북부"와 "수도권 남부" 2개로 더 넓게 나눠진다.

 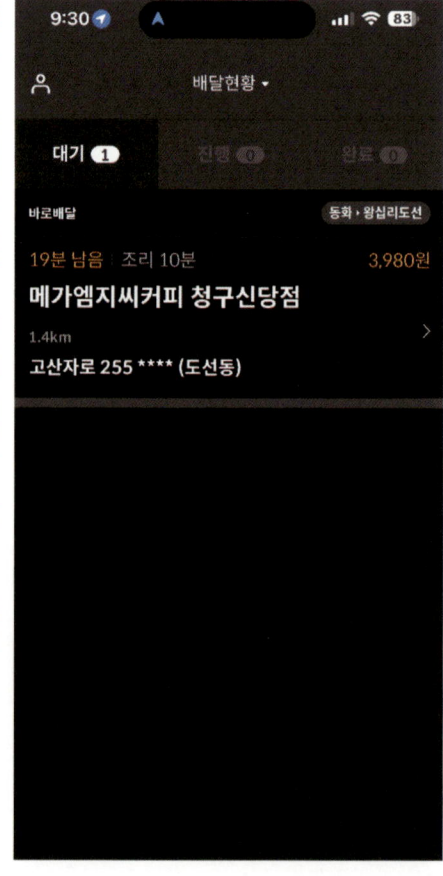

06   배민커넥트: 구역 및 지도 확인

지역명과 배달비를 누르면 해당 범위와 주문이 많은 지역이 표시된다. 붉은 색이 진할수록 주문이 많은 곳이니 그쪽으로 이동하면 콜을 받을 확률이 높아진다. 지도를 확대해보면 세부 주소와 지름길을 확인 할 수 있다. 배달할 때는 도착지 근처에서 네비게이션을 확인하기 보다는 지도를 확대하여 정확한 지번을 확인하는 것이 좋다.

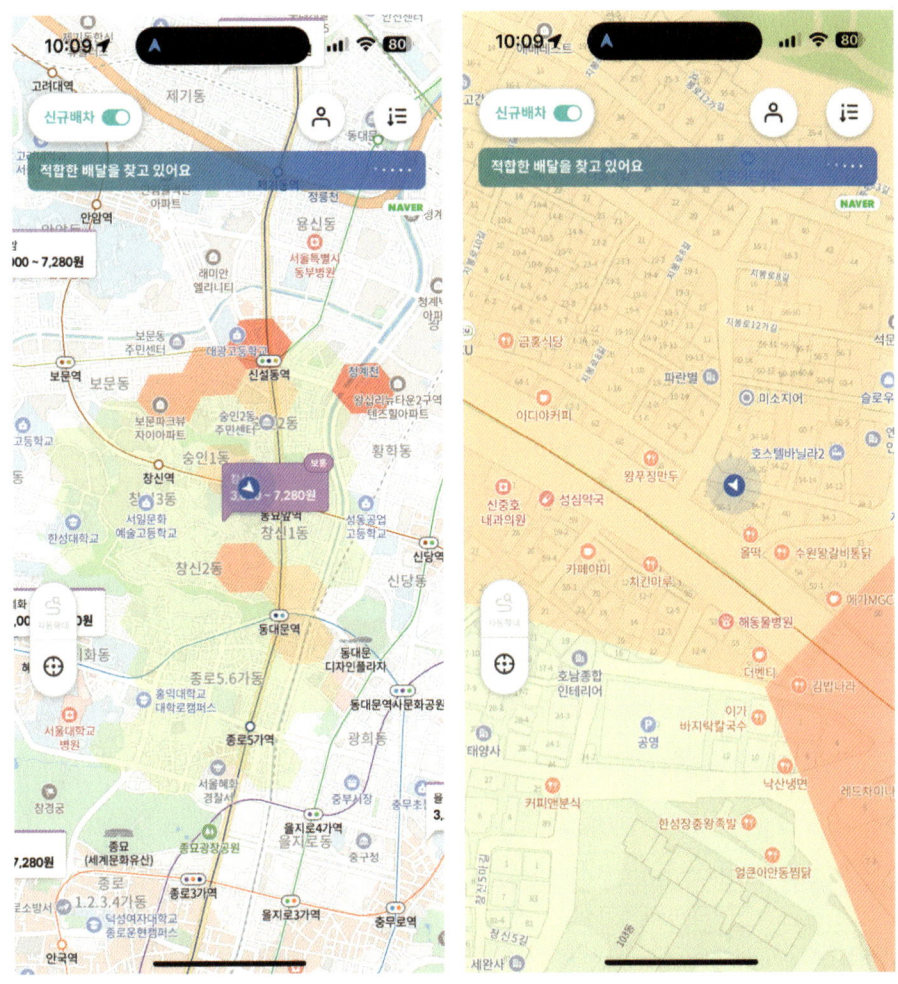

07   배민커넥트: 콜 배정

콜이 배정되면 상단에 주황색 신규배달 버튼이 보인다. 이것을 터치하면 픽업지와 전달지 위치, 배달비를 알 수 있다. 보통 위치와 배달료를 보고 갈지 말지를 결정한다. 수락 전 자세한 주문내역과 요청사항을 보고 싶다면 빨간 동그라미 안의 > 표시를 누르면 된다.

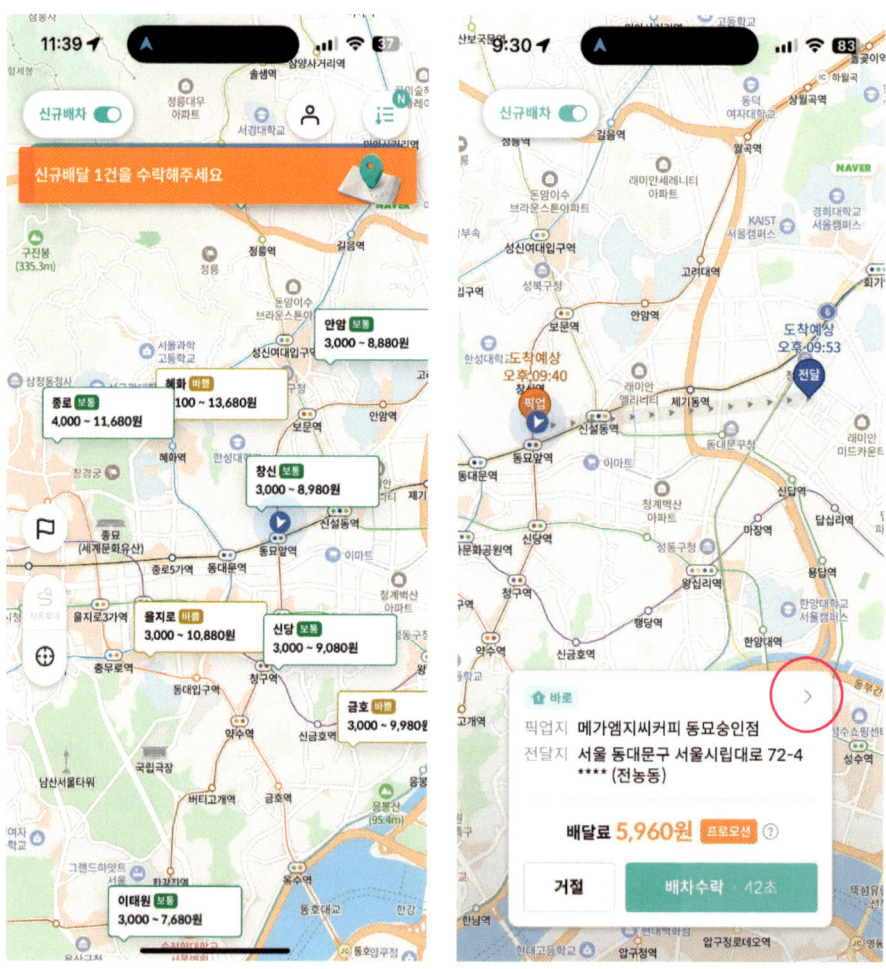

08 배민커넥트: 주문번호 및 내역확인

콜을 수락하면 가게 주소와 주문번호, 메뉴내역을 볼 수 있다. 가게에 도착하면 주문번호 뒤 4자리를 확인하고 물건을 수령하면 된다. 수락한 주문을 취소하고 싶다면 "도움요청"에서 배차취소를 하면 된다. 수락 후 상습적으로 취소할 경우 패널티가 있을 수 있다.

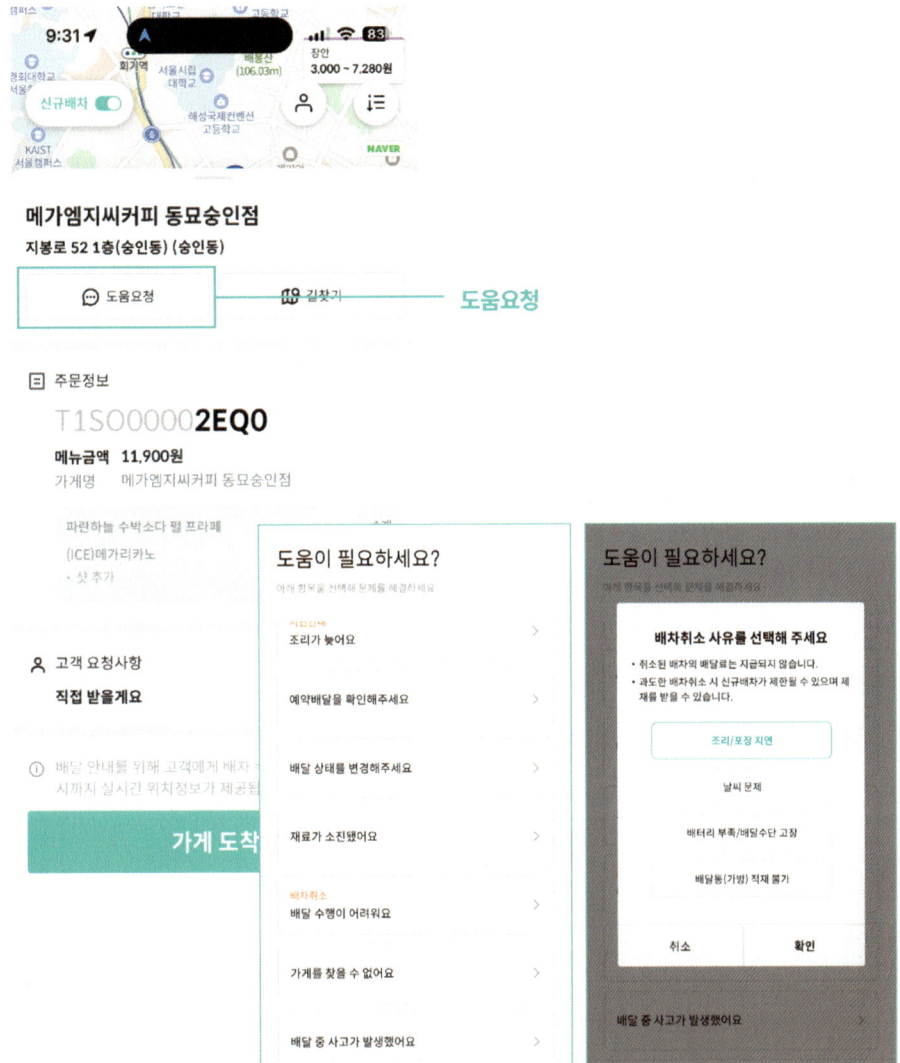

09   배민원: 배달 과정

배달 중 다음 콜이 배정되면 수락할지 결정해야 한다. 수락 후에는 현재 배달 건을 완료 후 다음 상점으로 이동하면 된다. 다음 상점에 이동 후에는 "가게도착" 버튼을 누른다. "가게도착"버튼을 누른 후 "주문번호" 뒤에 4자리를 확인 한 후 픽업할 음식이 나왔는지 확인한다.

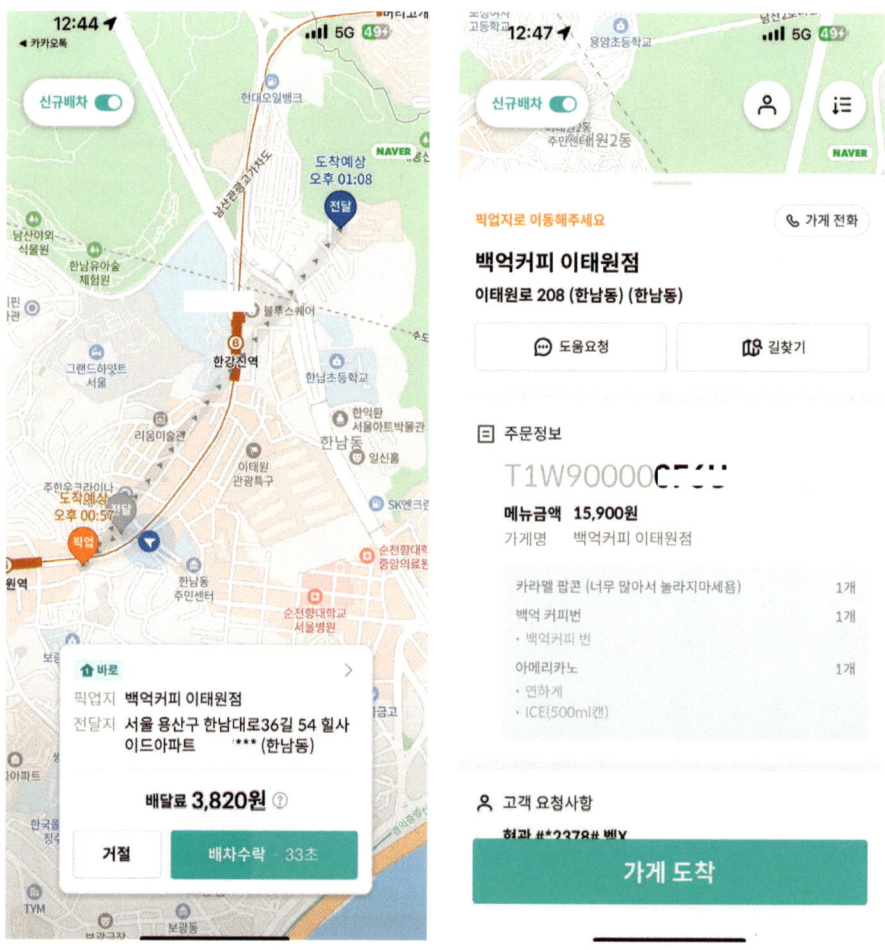

음식을 수령하면 "픽업완료" 버튼을 누른 후 고객에게 출발하면 된다. (만약 여러건을 배정 받았을 경우 다음 상점으로 다시 픽업하러 가야한다.) 음식을 모두 픽업했다면 고객 주소지를 확인 후 이동한다. 이때 "고객 요청사항"을 한번 더 확인하는 습관을 들이면 좋다. 도착 후에는 "전달완료" 버튼을 누른 후 사진을 찍어 전송하면 된다. 코로나 이후 대부분 비대면 전달이라 "벨"을 누를지 여부를 확인 하면 좋다.

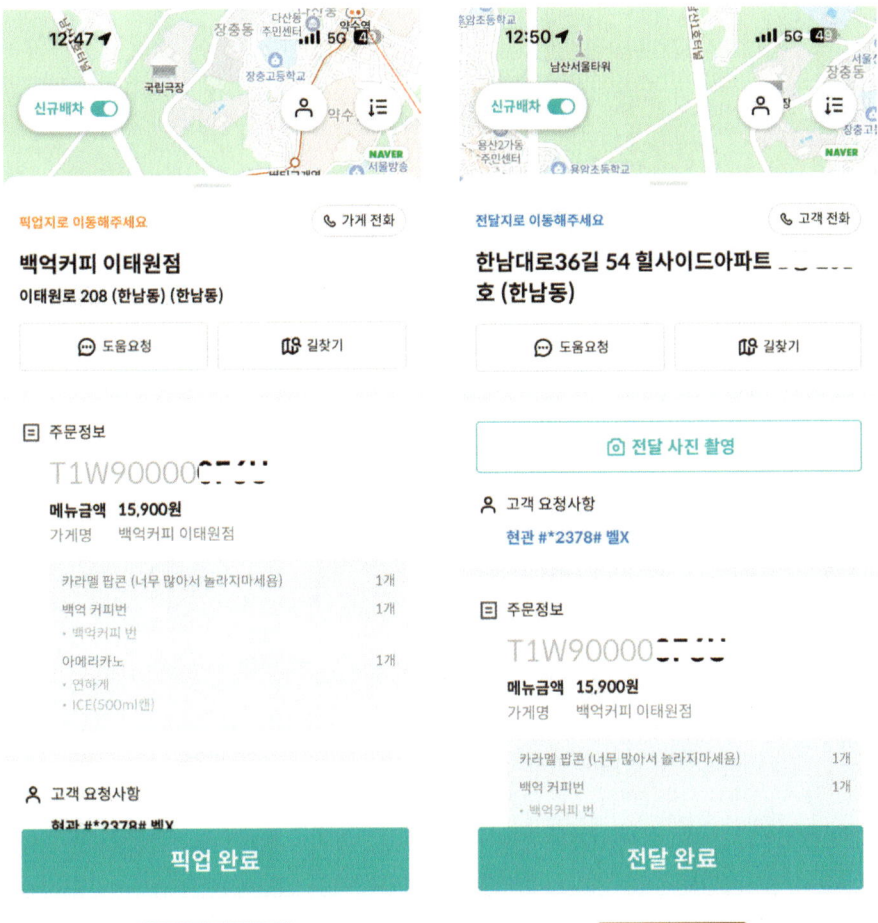

10   배민커넥트 : 배달완료

"고객 요청"으로 비대면 배달 시 사진을 찍고 전달완료 버튼을 누르면 배달이 완료된다. 완료 전 주소를 재확인 하는 습관을 기르면 좋다. 특히 여러건을 배달할 때 음식을 바꿔서 주는 실수를 종종 할 수 있기에 주문번호도 다시 확인하면 좋다.

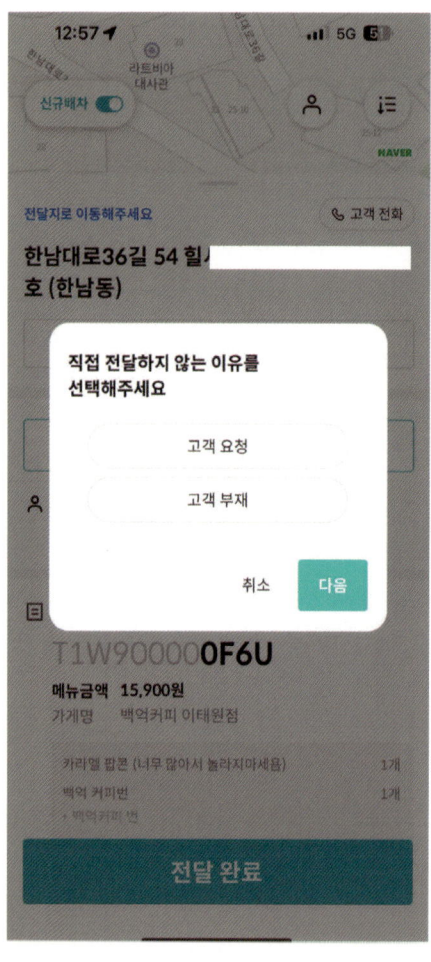

11   배민커넥트 : 배달내역 다시 보기

배달 후 최근 3일전 내역까진 내역을 확인 할 수 있다.
만약 배달 후 실수를 했다면 "정산내역"에 "일별 배달 내역"을 눌러 주소지를 다시 확인 후 정정배달 할 수 있다.

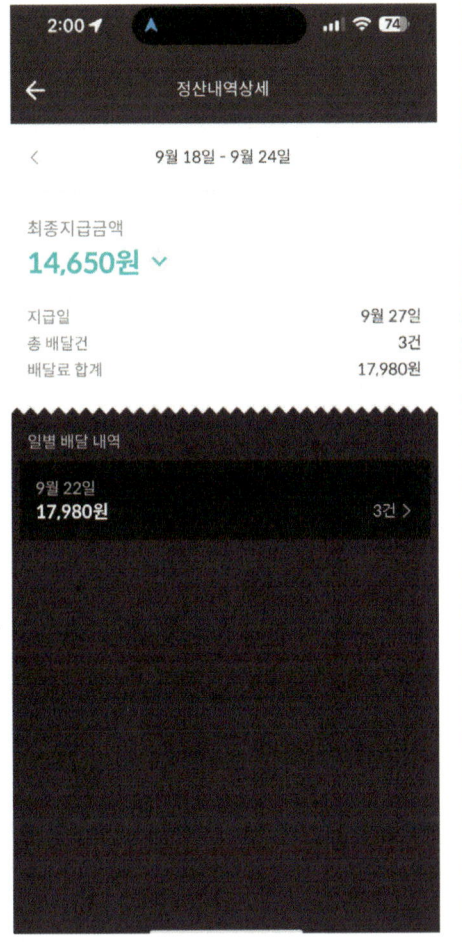

12   배민커넥트 : 주류배달

주류(술)이 포함된 배달의 경우 신분증 확인 후 직접 배달해야 한다.
만약 고객이 부재중일 경우 "고객센터"와 통화 후 술을 빼고 배달할 수 있다.

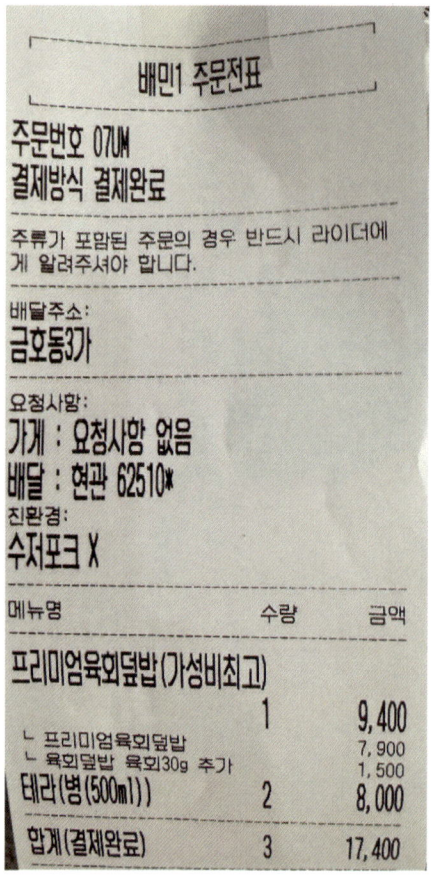

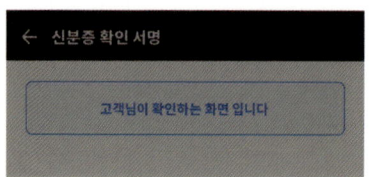
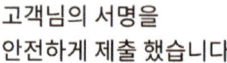
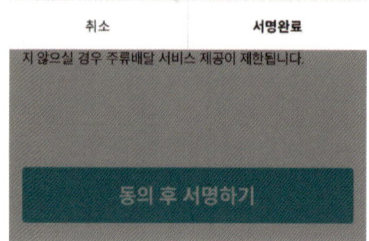

13 배민커넥트 : 마이페이지 및 환경설정

마이페이지에서 하루 수입을 볼 수 있다. 앱 상단 우측에 톱니바퀴모양을 누르면 "환경설정"에서 운행에 필요한 세부설정을 할 수 있다. 배민에서 사용할 수 있는 네비게이션은 카카오맵, 네이버 지도 등이 있다. 마이페이지 좌측상단에 "수도권북부"라고 적혀있다. 서울 지역 한강이북 쪽을 의미한다. 만약 강남, 강서와 같이 한강이남에서 배달할 경우 고객센터를 통해 "수도권남부"로 변경해야 한다.

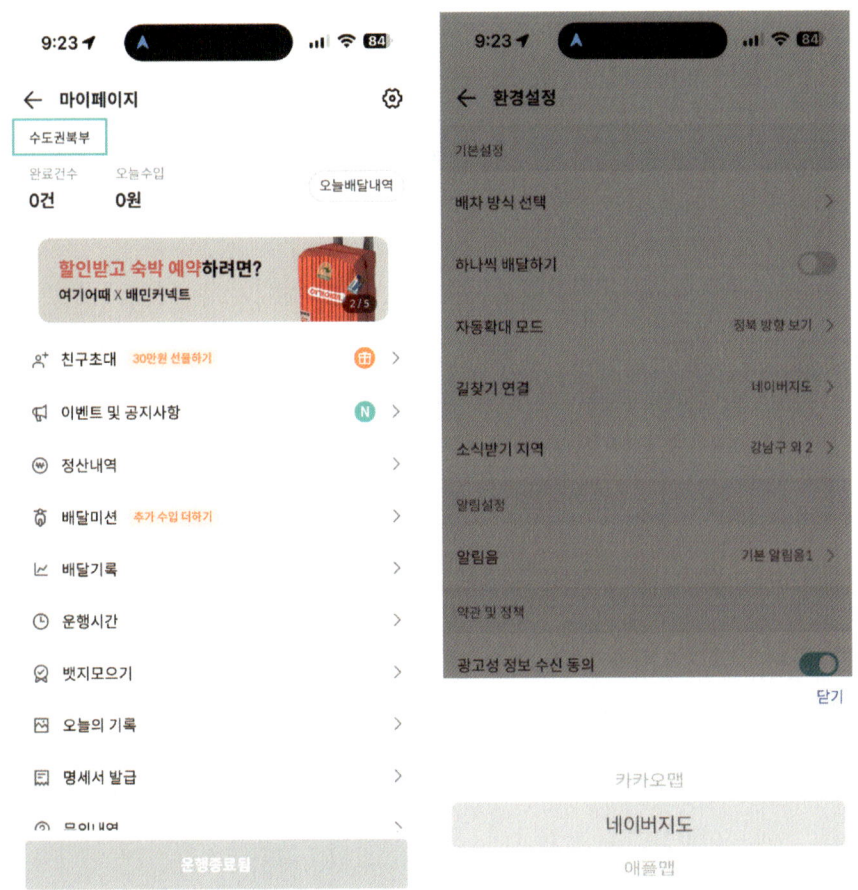

14 배민커넥트 : 정산

배민은 매주 수요일부터 화요일까지 7일간 운행한 금액이 금요일에 입금된다. 수락할 때 보인 금액에서 원천세(소득세, 주민세) 3.3%와 산재, 고용보험료를 공제한다. 원래 배민은 미션이 없었다. 가끔 문자로 미션을 줄 때가 있었지만 앱에서 확인되지 않았다. 하지만 24년부터 앱에서 미션내역과 금액, 성공여부까지 확인할 수 있도록 업데이트 되었다. 정산주기는 수요일부터 다음주 화요일까지 7일간 일할 경우 금요일에 입금된다(수, 목 이틀치가 묶인다.).

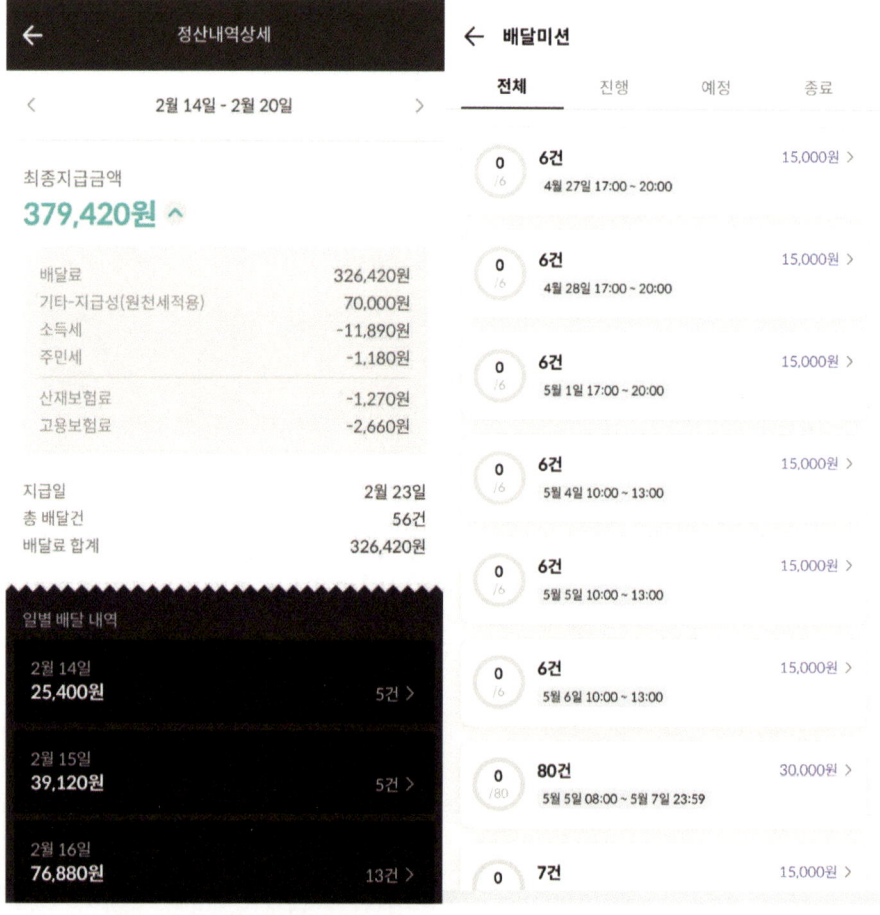

15 배민커넥트 : 이벤트 및 공지사항

이벤트 및 공지사항에는 다양한 정보가 올라온다. 특히 "배민라이더 스쿨"을 비롯해 다양한 교육 프로그램과 배달에 필요한 물품을 저렴하게 판매하는 공구장터, 라이더를 위한 복지 서비스도 있으니 종종 확인해볼 필요가 있다.

16   배민커넥트 : 카카오채널

배민커넥트 카카오채널은 다양한 이벤트와 시간제 보험 정보 등 다양한 정보를 얻을 수 있다. 또한 상담원 연결도 가능하니 필요 시 활용하면 좋다.

17 배민커넥트 : 기본 배달료

단건기준 기본 배달료는 3,000원부터 시작한다.

단건을 기준으로 하며 픽업지와 전달지 각 한 곳이다.

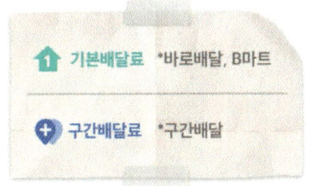

❶ 도보를 제외한 모든 배달수단

- 서울특별시, 인천광역시, 경기도, 세종특별자치시, 천안시, 청주시, 제주특별자치도

배달료기준거리(m)	배달료(원)
0m 이상 675m 미만	3,000원
675m 이상 1,900m 미만	3,500원
1,900m 이상	100m 당 80원 추가

- 부산광역시, 경상권

배달료기준거리(m)	배달료(원)
0m 이상 675m 미만	2,600원
675m 이상 1,350m 미만	2,900원
1,350m 이상 1,900m 미만	3,200원
1,900m 이상	100m 당 80원 추가

- 광주광역시, 전라권

배달료기준거리(m)	배달료(원)
0m 이상 675m 미만	2,600원
675m 이상 1,350m 미만	2,900원
1,350m 이상	100m 당 80원 추가

18   배민커넥트 : 구간 배달료

구간배달(알뜰배달)은 픽업지와 배달지 여러곳이 묶인다.
픽배픽배 또는 픽픽배배 등 다양한 방식으로 배달할 수 있다.

구간배달료

배차가 추가되면 배달료기준거리가
변경될 수 있기 때문에
픽업요금, 전달요금, 구간요금을
각각 계산해요!

픽업요금
- 상품을 **픽업**하고 관련 의무를 이행한 대가로 지급하는 요금

전달요금
- 상품을 **전달**하고 관련 의무를 이행한 대가로 지급하는 요금

구간요금
- **구간배달**의 총 이동거리에 대하여 시스템상 산정된 경로 및 거리 기준으로 지급되는 요금

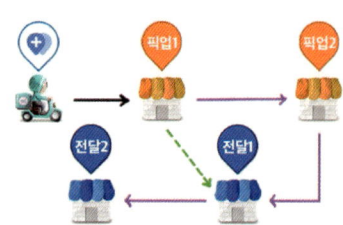

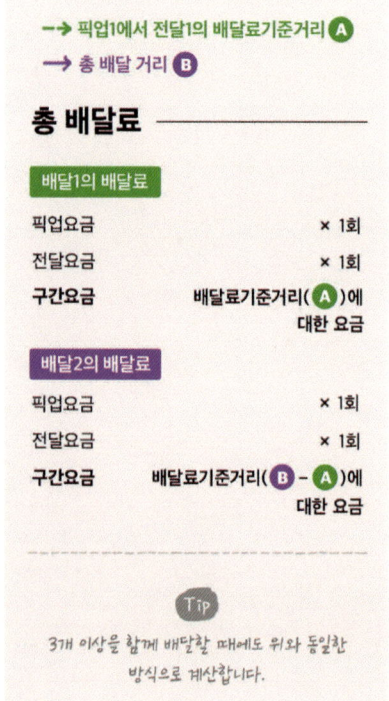

19 배민커넥트 : 구간배달 단건 예시

구간배달이 꼭 여러 개로 묶이는 것은 아니다. 구간 배달도 콜이 없거나 동선에 맞는 콜이 없을 경우 단건으로 갈 수 있다. 이 경우 단건 배달료가 아니라 구간 배달료로 책정되서 단건 기본료 보다 배달비가 적다.

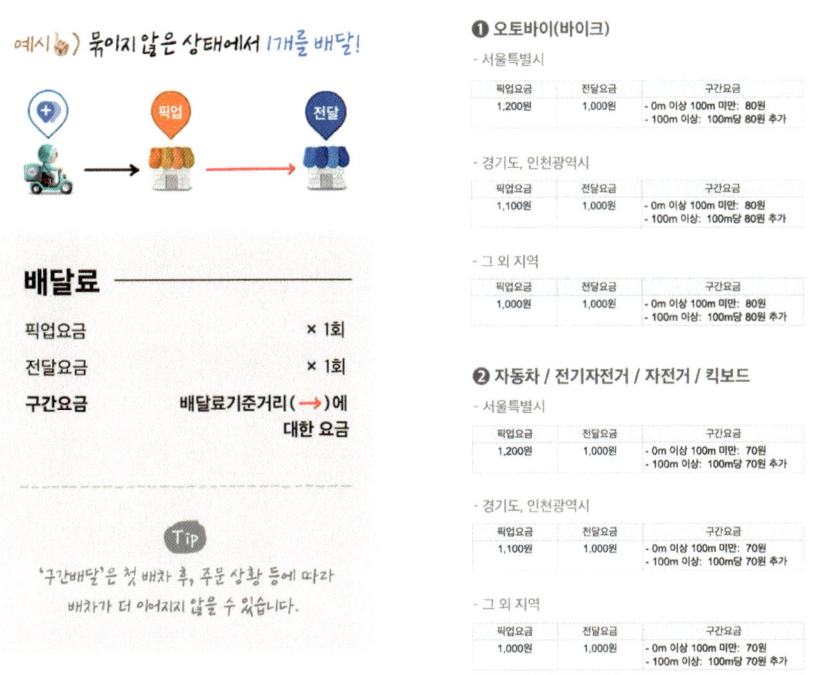

20   배민커넥트 : 바로(단건)와 구간(알뜰)배달 예시

왼쪽 사진은 "단건"배달이라 가게 한 곳에 방문해서 픽업 후 바로 1 명의 고객에게 전달한다. 반면에 오른쪽은 가게 두곳에 방문해서 두 번 픽업 후 서로 다른 2명의 고객에게 전달해야 한다.

21   배민커넥트 : 시간제 보험

시간제 보험은 배달 시간만큼 합리적으로 보험료를 지불하고 보험혜택을 적용받는 보험 제도이다. 유상보험을 들었을 경우 가입할 필요 없다. 하지만 가정용 오토바이 보험에 들었을 경우 시간제 보험을 추천한다. 배민과 협약된 여러 보험사 중 선택할 수 있 다. 보험사 마다 조건이 다르니 비교해보고 유리한 쪽으로 선택하면 된다. 보험료는 픽업부터 배달완료한 시간만 자동으로 적용된다.

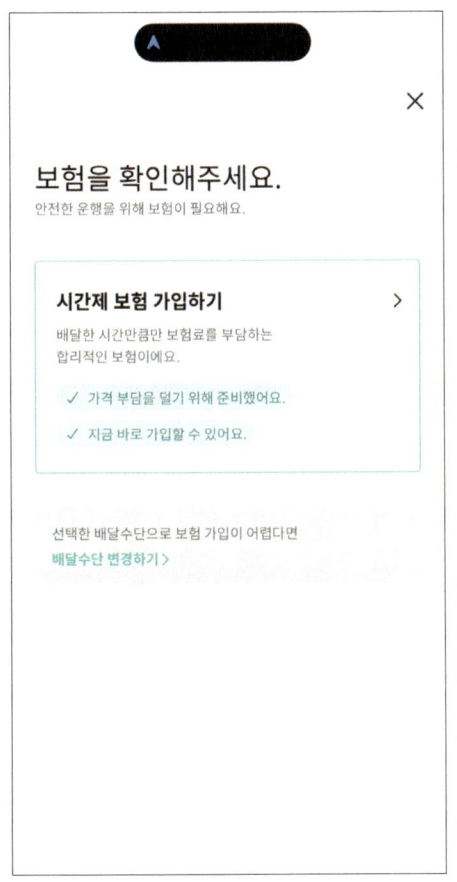

22   배민커넥트 : 시간제 보험 가입조건

1분 당 15.68원, 시간(60분)당 940원 수준이다. 콜을 배정 받아 수락하지 않으면 시간에 포함되지 않는다. 5시간 이상 운행하면 정액 6,000원이라 7~12시간 일해도 보험료 부담이 없다. 하지만 나이제한이 있으니 노령자인 경우 참고해야 한다.

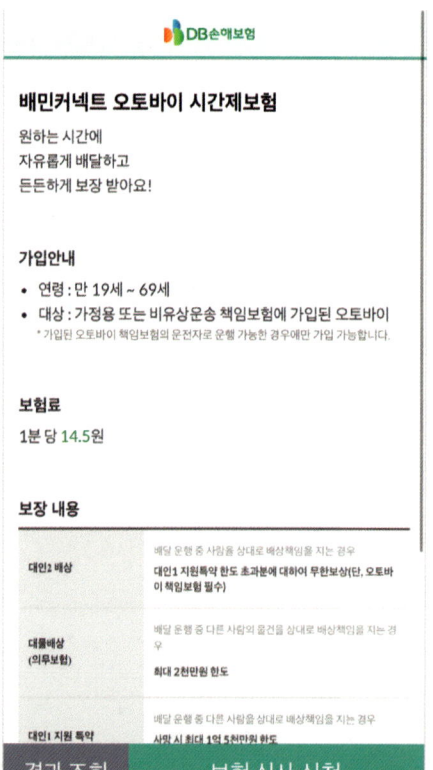

23 쿠팡이츠 배달파트너 : 회원가입 (계정생성)

"쿠팡이츠 배달파트너" 앱의 회원가입 화면이다. 이메일로 가입하지만 추후 사용하게 될 아이디는 이메일이 아닌 '핸드폰 번호'다. 과거에는 전화번호(아이디)와 비밀번호만 알면 어느 핸드폰에서나 접속이 가능했으나 2023년 말부터 문자인증을 해야 로그인 할 수 있게 변경되었다. 따라서 아이디와 비밀번호를 알아도 해당 핸드폰에서 문자를 볼 수 없으면 접속할 수 없다. 하지만 한번 로그인 해두면 자동 로그인되기 때문에 따로 로그아웃하지 않는 이상 문자인증 없이 로그인했던 핸드폰에서 계속 접속 할 수 있다.

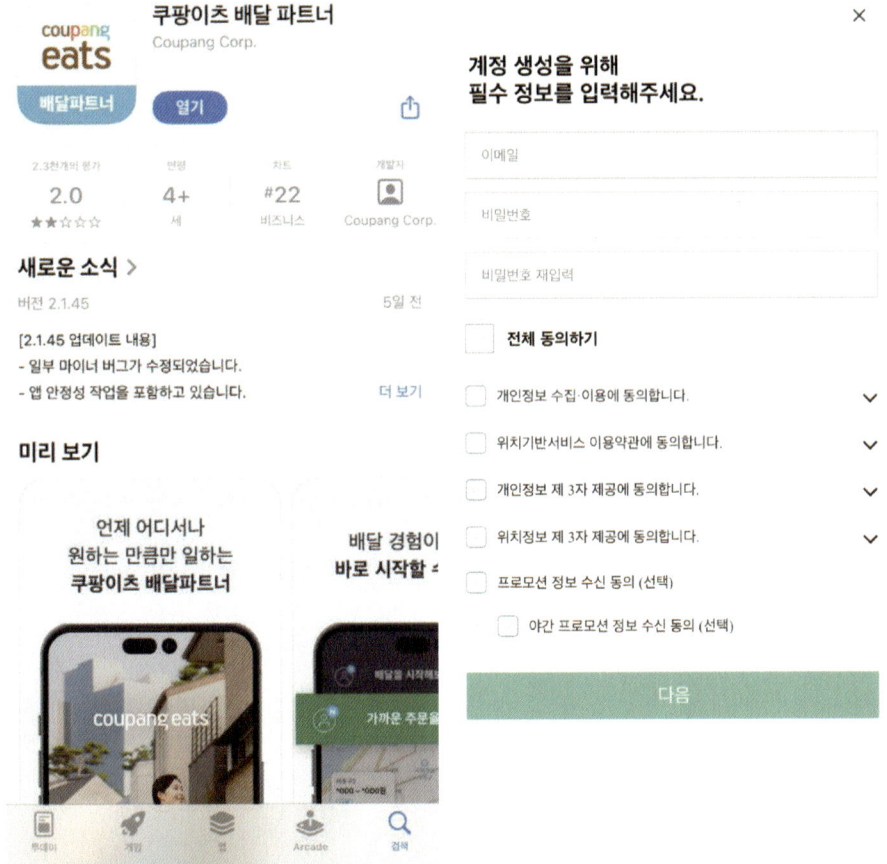

24   쿠팡이츠 배달파트너 : 안전교육

안전교육은 약 2시간 30분 정도 소요된다. 시청 후 시험문제까지 모두 풀어야 수료할 수 있다. 시청하지 않아도 상식적인 수준에서 풀 수 있다. 회원가입 후 운송수단 자동차나 오토바이로 할 경우 운전면허증의 고유번호가 필요하니 미리 준비하면 좋다.

25   쿠팡이츠 배달파트너 : 지역범위 및 단가

쿠팡이츠 배달파트너는 배민커넥트와 달리 지역범위가 없다. 서울에서 시작해서 경기도나 인천 등 어느 지역이든 갈 수 있다. 초보시절 쿠팡으로 집에서 1시간 이상 되는 지역에서 끄고 빈차로 집까지 왔다는 무용담이 종종 들린다. 좌측 상단 "사람모양"을 누르면 메뉴화면에 접속된다. 배민커넥트와 달리 쿠팡이츠 배달파트너는 유상보험에 가입되어 있지 않아도 안전교육만 받으면 바로 배달을 시작할 수 있다. 하지만 유상보험 없이 배달 중 사고가 나면 과실에 대한 부분은 자비로 부담해야 한다는 점을 꼭 기억하자.

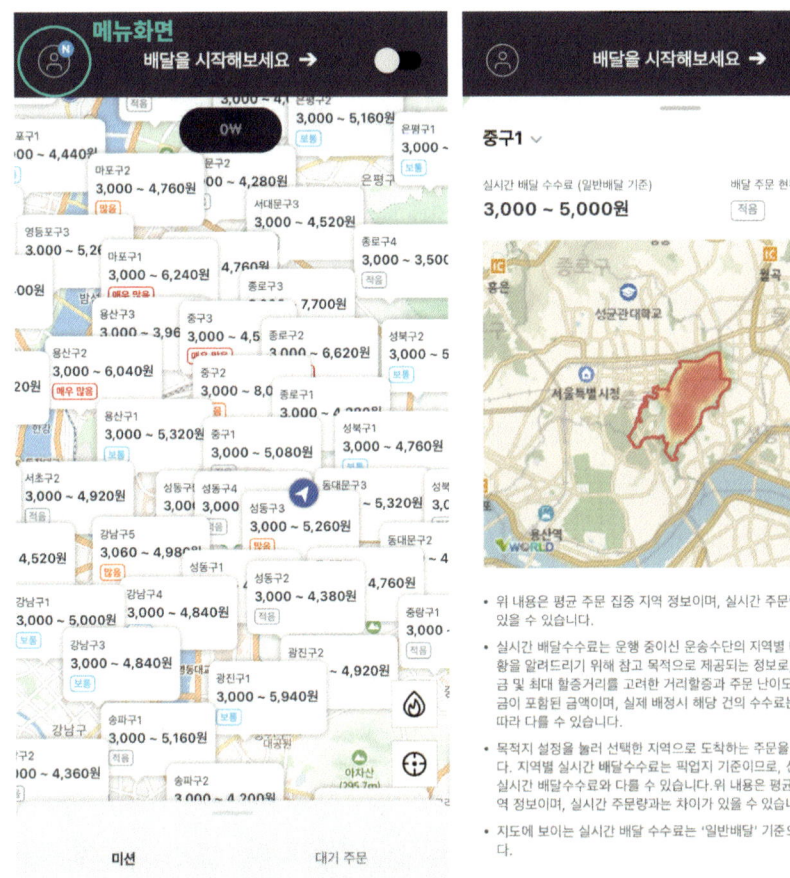

26   쿠팡이츠 배달파트너 : 마이페이지

배민커넥트과 비슷하지만 사실 쿠팡이츠 배달파트너 메뉴에서는 "내 수입" 기능을 제외하고 다른 기능은 잘 사용하지 않는다. "이벤트나 공지사항"도 배민커넥트에 비해 특별한 내용은 없다.

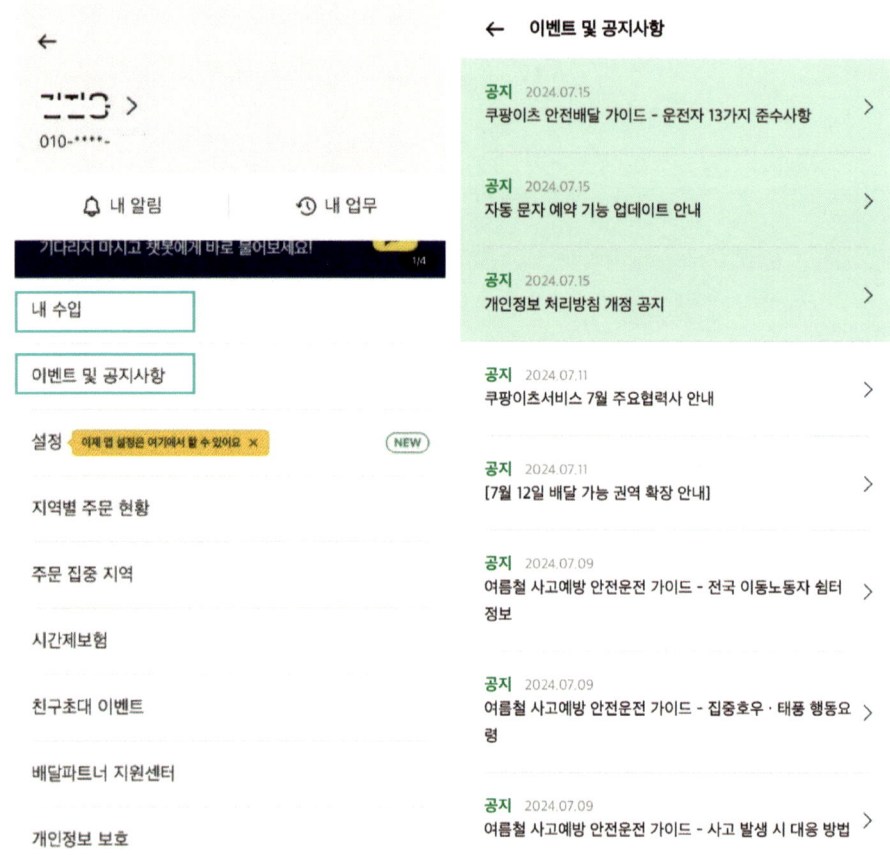

27   쿠팡이츠 배달파트너 : 로그아웃 - 다른 핸드폰 번호(아이디)로 접속

쿠팡이츠 배달파트너를 하다보면 미션 때문에 로그아웃하고 다른 아이디로 접속하는 경우가 생긴다. 이때 로그아웃 버튼을 찾기 어려운데, 메뉴에서 "개인정보 보호" → "계정정보 관리"에 가면 로그아웃이 있다. 실수로 회원탈퇴를 할 경우 짧게는 한달 이상 재가입이 어렵다

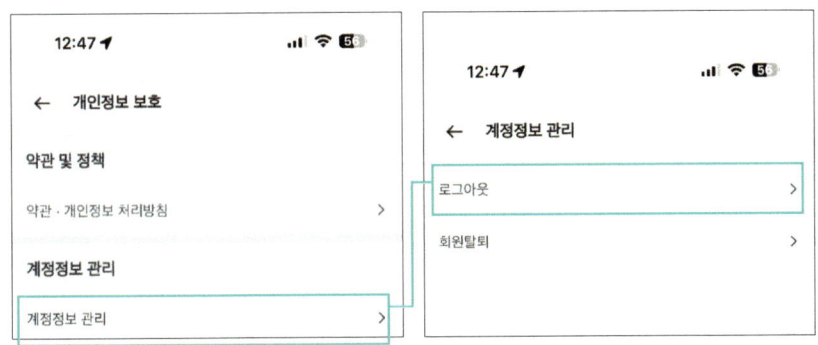

28   쿠팡이츠 배달파트너 : 네비게이션 설정

쿠팡이츠는 설정에서 네비게이션은 T map, 카카오내비 중 선택할 수 있다. 네비게이션에 의존하시는 어떤 분들은 본인이 사용하는 특정 네비게이션이 지원되기에 플랫폼을 선택하기도 한다.

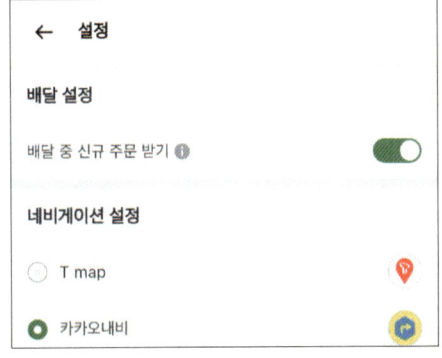

29   쿠팡이츠 배달파트너 : 콜 배정

운행을 시작하면 자동으로 콜이 배정된다. 과거에 쿠팡은 자동배차(AI)만 있었으나 2024년부터 배민의 일반배차처럼 "대기주문"으로 원하는 콜을 골라잡을 수 있게 되었다. 하지만 대기주문을 고르는 중 자동배차가 될 수 있어 콜이 많은 경우 선택이 어렵다. 콜이 배정되면 매장도착을 누르기 전까지는 메뉴확인이 어렵다. 매장도착 버튼을 눌러야 메뉴를 확인할 수 있는데, 이 기능을 활용해 상점에 따라 과적이 나올 가능성이 크다면 미리 매장도착 버튼을 눌러서 주문금액을 확인 하고 콜 배정을 취소 할 수도 있다.

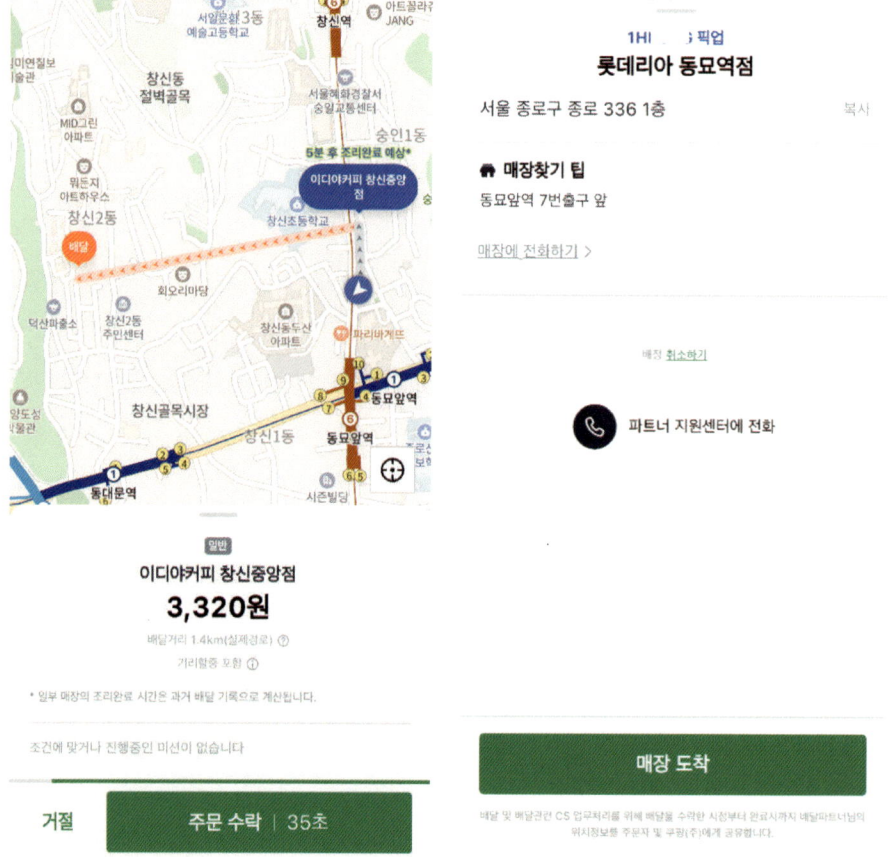

30 쿠팡이츠 배달파트너 : 픽업완료 및 경로

매장도착을 누르면 주문내용이 나온다. 음식을 수령하면 "픽업완료" 버튼을 누르고 배달을 시작하면 된다. 패스트푸드점은 음료는 탄산의 경우 숨구멍이 있어 밀봉되어 있지 않으니 음료걸이에 걸면 좋다. 또한 버거킹의 경우 주문번호가 아니라 따로 숫자로 된 번호가 있으니 번호로 확인해야 한다. .

31 쿠팡이츠 배달파트너 : 배달목록 확인 및 주문 받기 종료

동시에 여러 건을 수행할 경우 "배달목록"에서 배정내역을 확인할 수 있다. 고객이 "단건" 또는 무료배달 중 어떤 것을 선택했는지에 따라 다음 배달 주소지와 주문번호가 안 보일 수 있다. 만약 배정된 콜만 수행하고 다음 배차를 그만 받고 싶다면 우측 상단에 "배달목록"을 누르고 하단에서 "주문 받기 종료"를 눌러 다음 배달을 받지 않을 수 있다.

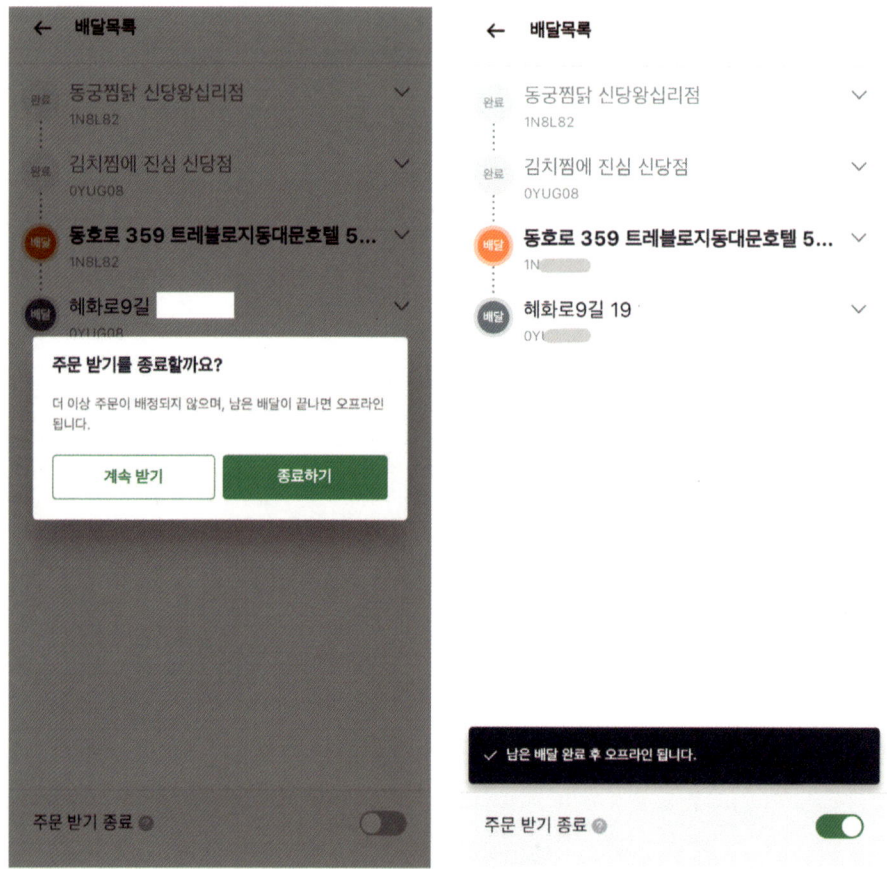

32   쿠팡이츠 배달파트너 : 멀티배달

쿠팡이츠도 여러 건을 배정받아 동시에 수행할 수 있다(멀티배달). 왼쪽 사진은 2곳의 상점에서 픽업을 한 다음 서로 다른 2명의 고객에게 각각 배달할 때의 화면이다. (쿠팡이츠 플러스협력사 소속으로 수행 할 경우 "주문 수락"시에는 가격이 보이지 않고 완료 후 보인다.) 오른쪽 사진은 1곳의 상점에서 2개의 음식 픽업한 다음 서로 다른 2명의 고객에게 각각 전달할 때의 화면이다.

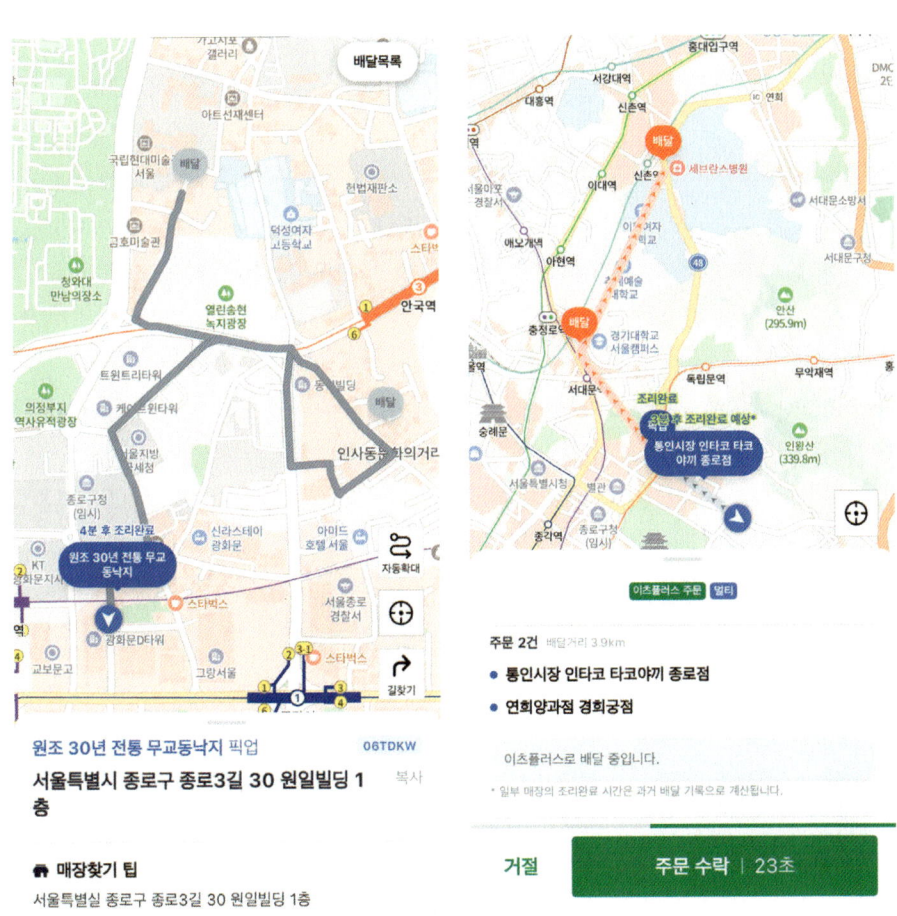

33   쿠팡이츠 배달파트너 : 배달상태 촬영

고객 주소지에 도착하면 "고객 요청" 확인 하고 [비대면 배달]일 경우 문 앞에 음식을 두고 사진을 전송하면 해당 건이 완료된다. 배민커넥트와 달리 사진을 찍으면 바로 "완료" 처리된다. 완료 후에는 쿠팡이츠 고객센터를 통해서만 다시 고객의 주소를 확인 하거나, 고객에게 전화 할 수 있어 정정배달이 어려우니 주소를 보다 집중해서 확인해야 한다.

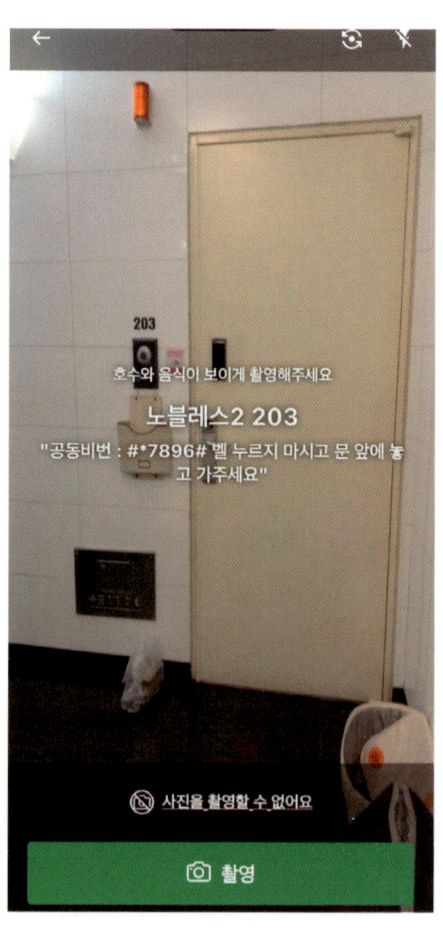

34 쿠팡이츠 배달파트너 : 내 수입

'내 수입'에 들어가면 미션금액과 콜비 등을 확인할 수 있다. 과거에는 정산주기가 길었으나 2024년 5월부터 배민과 동일하게 매주 수요일부터 화요일까지 7일간 운행한 금액이 금요일(3영업일 이후) 입금된다. 다만 금요일이 휴일인 경우 다음주 월요일에 입금된다.

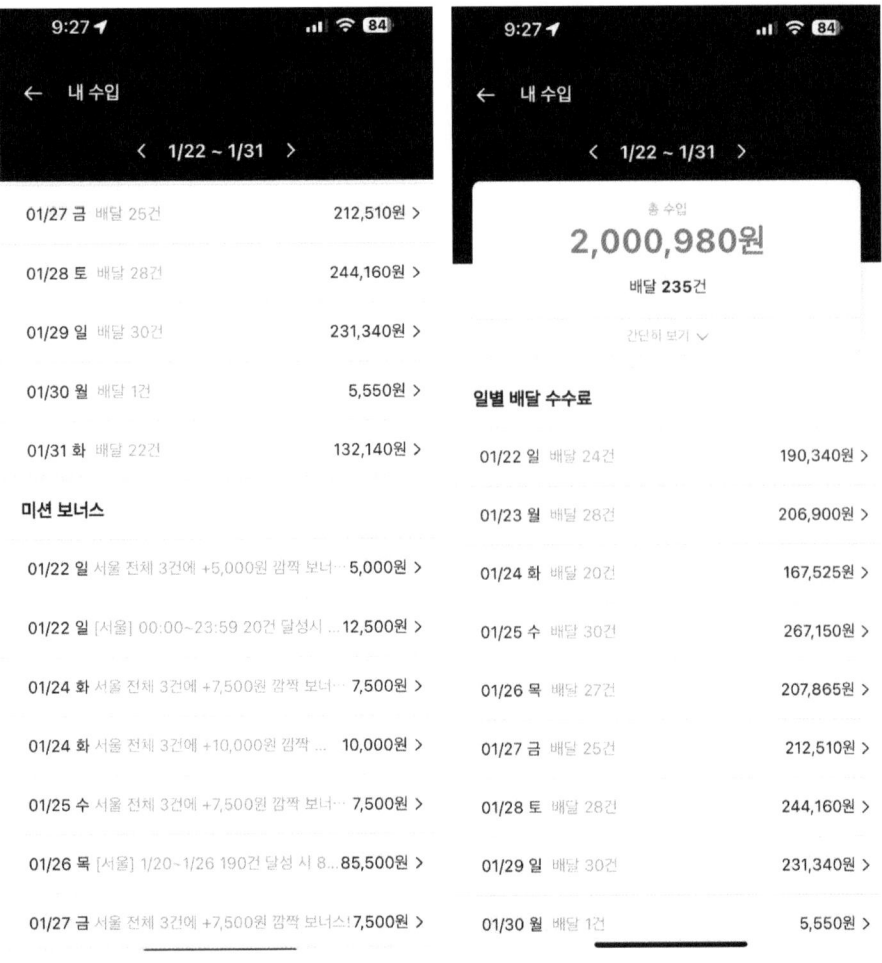

35 쿠팡이츠 배달파트너 : 시간제 보험

쿠팡이츠 유상보험사는 롯데보험으로 정해져있다. 분 단위로 콜 수락한 순간부터 완료 시까지 보험료가 적용된다. 보험료는 시간 당 989원이다. 따로 정액제는 없으면 탄 시간만큼 모두 부과된다. 보험료는 매주 정산액에서 차감되고 입금된다.

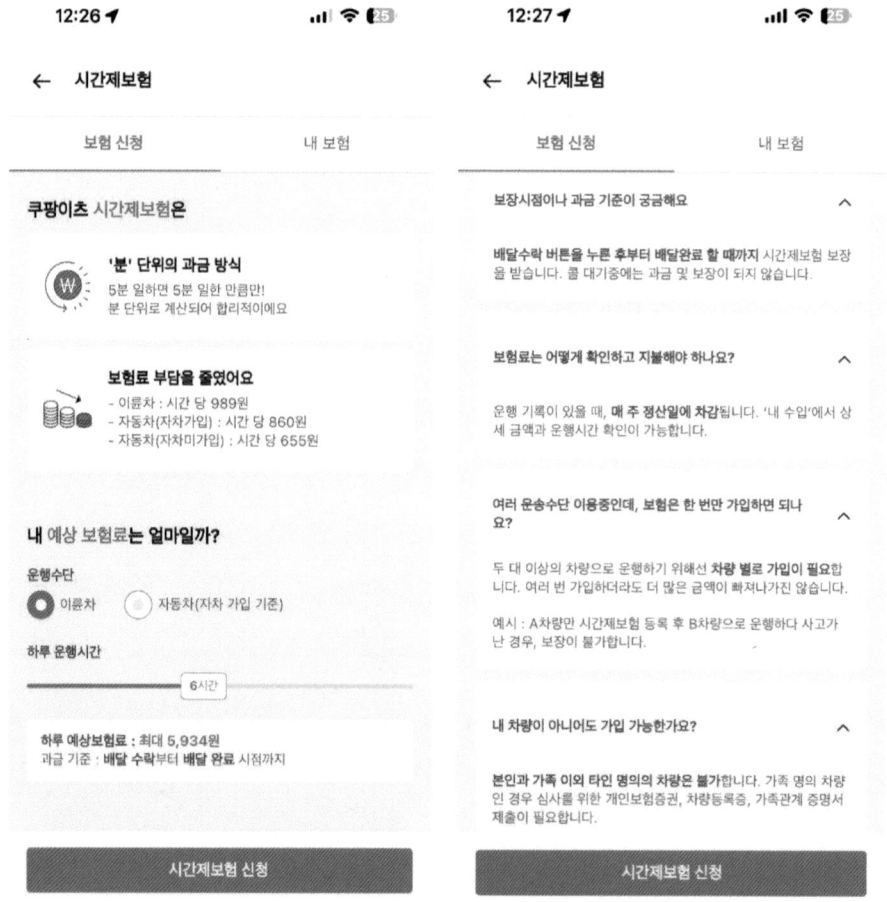

36 쿠팡이츠 배달파트너 : 시간제 보험 승인 및 가입요건

기존에 유상보험 가입 이력이 있으면 신청하자마자 승인된다. 그렇지 않을 경우 1~2일 소요된다. 또한 보험가입 연령은 만 24세부터 만 59세까지로 배민커넥트 보다 범위가 좁다.

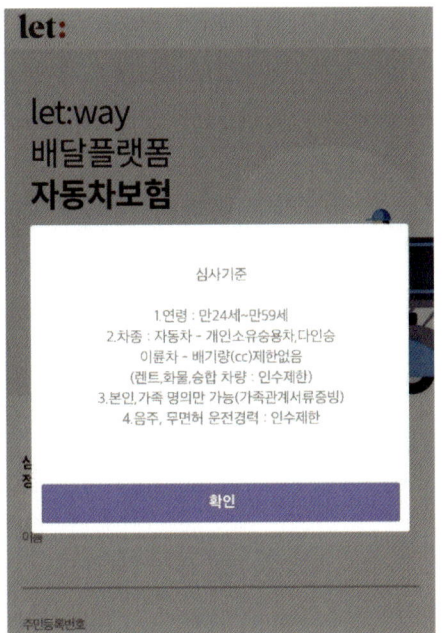

37 쿠팡이츠 배달파트너 : 시간제 보험 보장내용

이륜차(PLAN 3, 4) 기준 대물한도가 2천만원이다. 외제차와 사고날 경우 수리비와 수리기간 동안의 렌트비가 2천만원을 훌쩍 넘을 수 있으니 주의해야 한다. 시간제 보험의 특징은 대인지급한도가 무한이라는 것이다. 대인배상1은 개인의 자동차 책임보험에서 초과하는 부분에 대해 무한인데, 대인1지원 특약을 들면 모든 대인배상이 시간제 보험으로 처리되어 개인의 책임보험이 할증되지 않는다.

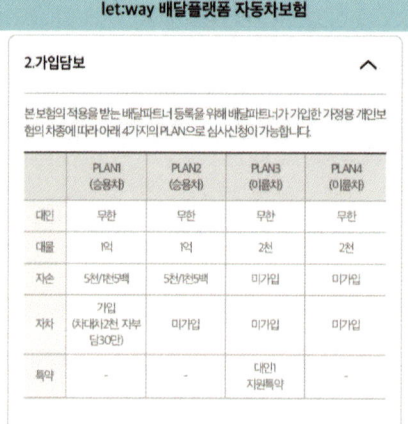

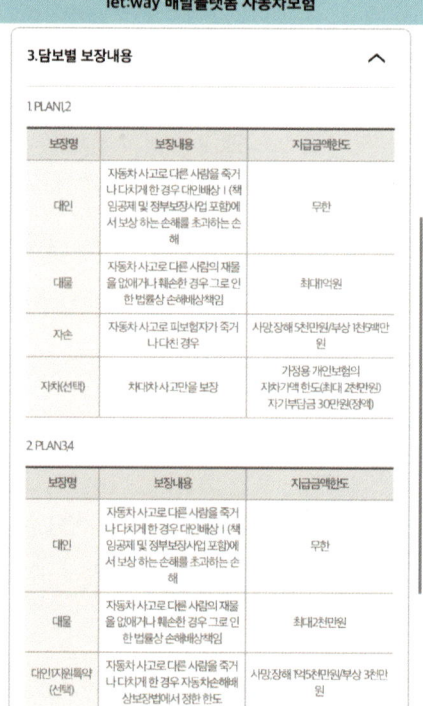

38 쿠팡이츠 배달파트너 : 시간제 보험 주의사항 및 가입화면

1) 고의로 사고를 낸 경우 2) 음주인 경우 3) 가입자 본인은 맞지만 다른 오토바이로 운행 중 사고난 경우 4) 가입된 차량은 맞지만 본인이 운전한 경우 위와 같은 경우가 아니라면 보험처리 되지 않는다. 그 외 사고이력이 있거나 법규위반 등 문제가 있을 경우 시간제 보험이 가입조차 거절될 수 있다.

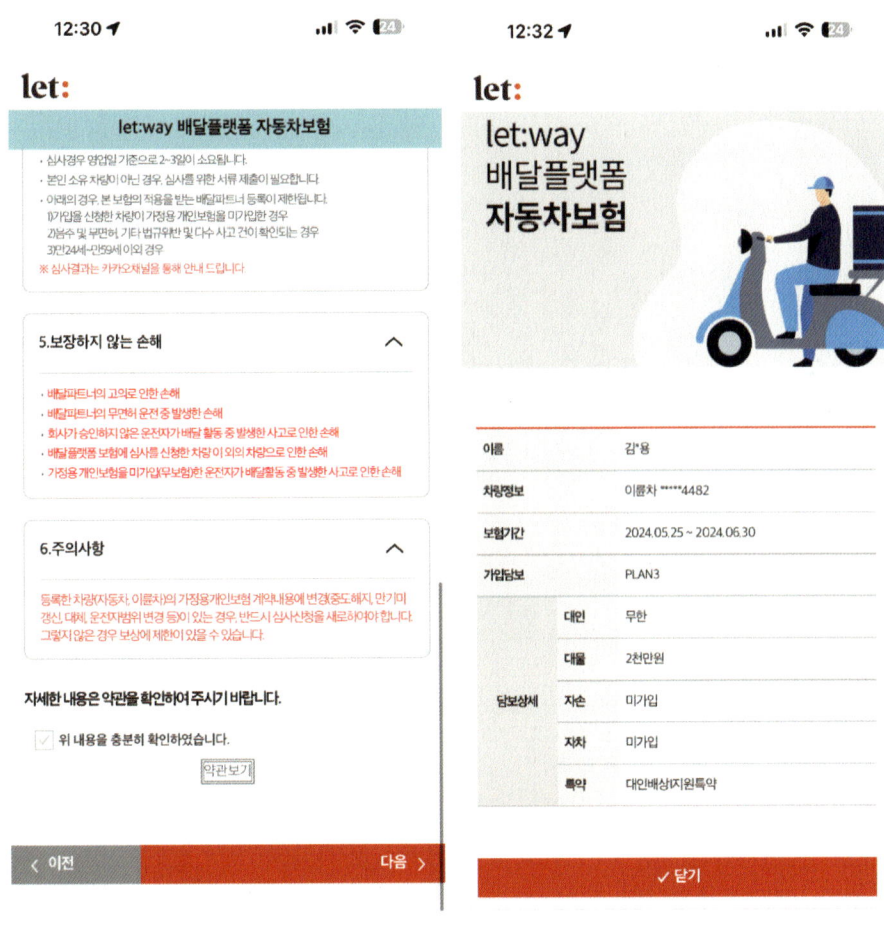

운행 및 배차

01 플랫폼 선택

배달을 시작하려면 핸드폰에 "배민커넥트" 또는 "쿠팡이츠배달 파트너" 앱을 설치하고 가입하면 된다. 앱의 설치와 사용방법은 각 플랫폼 사 홈페이지 또는 블로그에 자세히 나와 있다. 쿠팡이츠 배달파트: https://ces.coupangeats.com/ 배민커넥트: https://www.baeminriders.kr/

02 지역선택

운행 시작 전 먼저 고민해야 하는 것은 어느 지역에서 시작할 것인지다. 집과 가까운 곳에서 타면 좋겠지만 배달에 적합한지 생각해야 한다. 길에서 보내는 하루는 매연과 추위, 더위 그리고 기다림의 연속이다. 집에서 가까울 경우 힘든 순간에 퇴근하고 싶은 유혹이 커진다. 따라서 자신의 성향에 따라 지역을 선택해도 좋지만 우선 고려해야 할 것은 콜이 많고 배달하기 좋은 곳이다.

배달하기 편리한 곳은 빌라, 다세대 주택 밀집지역이다. 엘리베이터를 타지 않아도 되기 때문에 배달시간을 절약할 수 있다. 하지만 배달하기 편해도 콜이 없으면 의미가 없다. 따라서 콜도 많고 배달하기 편리한 지역이 좋은데, 서울에선 강남구, 관악구, 마포구가 대표적이다.

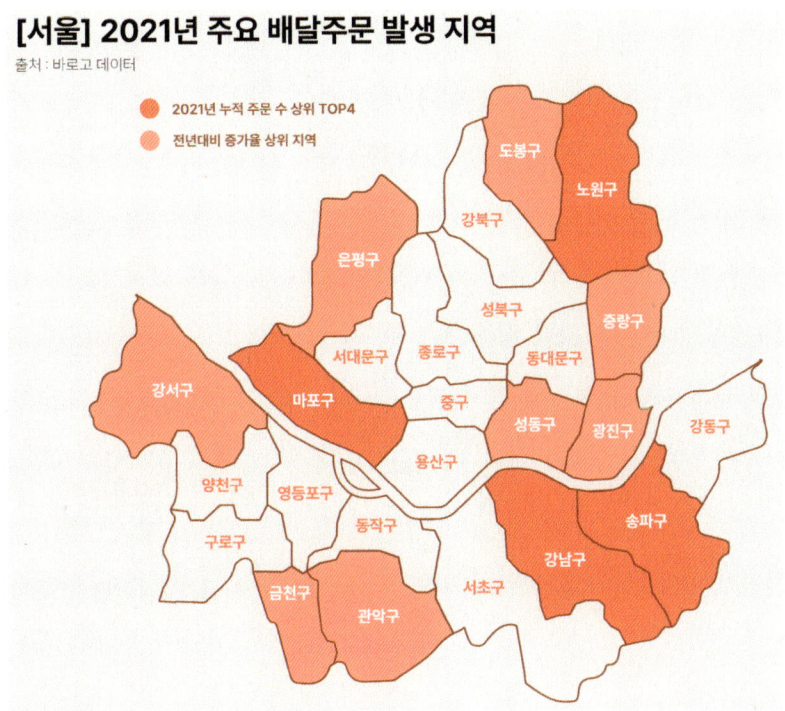

2022년 기준 국내 인구는 5144만명인데, 1인 가구 수는 2020년 906만 가구에서 2022년 972만 가구로 매년 늘어나고 있다. 다만 1인 가구 연령대는 50대 이상 53%로 전체 가구의 절반을 차지한다. 아무래도 50대 보다는 20~30대 1인 가구가 배달을 시켜 먹을 가능성이 높다. 이러한 연령대의 1인 가구가 많이 사는 지역인 대학가 주변은 저녁 배달수요가 많고, 반대로 오전에 콜이 적다. 주거지역도 오전 콜은 적은 편이다. 지역특성에 따라 배달이 몰리는 시간대가 다르니 지역을 선택할 때 자신의 근무시간대도 고려해야 한다.

어디에나 장단점이 있기에 지역선택에 정답은 없다. 오직 돈만 벌기 위해 전업으로 배달한다면 차가 막혀도 강남서초 지역을 추천한다. 혹은 자신이 지리를 잘 알고 있는 지역도 괜찮다. 익숙한 지역에서 시작해 점점 배달권역을 넓혀가는 것도 방법이다. 시급을 결정하는 주요 요소 중 '지역'이 차지하는 비중은 매우 높다. 한번 특정 지역에 익숙해지면 다른 지역에 다시 적응하기까지 시간이 걸리니 신중히 결정해야 한다. 하루 이틀로는 지역을 알 수 없다. 최소 일주일, 보통 3개월 정도는 타봐야 지역특성에 대해 알 수 있다.

배달할 때 배차수락부터 완료까지 소요되는 시간은 평균적으로 10~20분이다. AI가 랜덤으로 배차하지만 무작정 운에 맡기고 주는 대로 갈 수 없다. AI는 플랫폼이 설정한 시급에 따라 콜을 배정하기에 특별한 경우가 아니면 정해진 시급에서 벗어날 수 없다. 플랫폼 마다 다르지만 한정된 거절권 수를 잘 사용해야 높은 수익을 얻을 수 있다. 물론 아무리 거절하며 타도 배정되는 콜이 내 마음과 다르게 안 좋게 들어오는 날도 있고, 모든 타이밍이 내가 생각한대로 잘 맞아 떨어지는 날도 있다.

플랫폼 배차는 라이더의 수행등급(거절율, 고객평점 등)과 상점과 라이더의 거리 기반이기 때문에 배달대행과 다르게 강제배차(관리자가 어려운 콜을 일부러 특정인에게 배정)가 없고, 얄밉게 좋은 콜(꿀콜)만 빼가는 사람도 없어 사람에 대한 스트레스는 없다. 직장생활을 해보신 분이라면 알 것이다. 회사는 일이 힘든 것이 아니라 사람이 힘들게 하는 경우도 많다는 것을. 플랫폼 라이더는 이러한 제약이 없기 때문에 상점조리 지연, 고객과 소통문제 외에는 인간관계에서 오는 스트레스는 없다.

03 배달 성수기와 비수기

우리나라에서는 사계절의 영향으로 오토바이 타기 좋은 4~6월 중순과 9~10월까지를 배달 비수기로 본다. 당연히 6월 말 장마기간과 폭염 혹은 한파에는 배달이 많다. 배달업계에서 '공급'인 라이더 수는 날씨와 단가에 영향을 받는다. '수요'인 고객의 배달주문 건도 마찬가지다. 날씨가 덥거나 춥거나, 비가 오거나 눈이 오면 출근하는 라이더 수가 줄고, 배달주문은 늘어나 단가가 상승한다. 선선하고 오토바이 타기 좋은 9~11월 중순까진 날씨가 좋기 때문에 라이더 수도 많지만, 고객도 집에서 배달시키기 보다는 외식할 가능성이 높다. 날씨는 양력보다 음력으로 절기를 보는 것이 더 확실하게 체감 된다.

			비수기			성수기		비수기			
1월	2월	3월	4월	5월	6월	7월	8월	9월	10월	11월	12월

비수기에는 콜을 받기 어렵기 때문에 배달이 많은 지역에 가서 기다려야 한다. 쿠팡의 경우 상점 밀집지역, 배민의 경우 B마트에서 첫콜을 받아 이어 나가는 게 중요하다. 배차 우선순위는 현재 운행 중인 사람이 먼저이기에 비수기엔 콜이 끊어지지 않도록 거절도 신경 써서 해야 한다. 만약 비수기에 콜이 정말 없다면 그나마 콜이 많은 강남 등으로 지역을 옮기는 것도 방법이다. 콜이 많은 지역은 라이더 수도 많지만, 절대적인 콜량도 많다. 주문 1000건에 라이더가 250명인 지역과, 주문 100건에 라이더가 25명인 지역이 있다면, 주문이 1000건인 지역에서 더 많은 콜을 탈 수 있기 때문이다.

11월 말부터 2월까지의 춥고 눈 오는 최고 성수기를 지나 3월이 되면 거짓말 같이 콜이 줄어든다. 9월도 마찬가지다. (새학기 영향이 있는 것 같다.) 더운 7~8월, 아이들이 집에 있는 방학기간 12~1월엔 음식, 디저트를 주문할 가능성이 높다.

04 콜의 밀도

콜이 밀도 있게 들어온다는 것은 전달지 근처의 다음 픽업지가 가까운 것을 뜻한다. 특히 배민을 탈 땐 다음 콜이 들어오는 시간과 다음 픽업지가 어디쯤인지에 따라 현재 콜 상황을 느낄 수 있다. 즉 콜이 많으면 다음 픽업지도 가까울 가능성이 높고, 콜이 없다면 그만큼 다음 픽업지도 멀리 있을 가능성이 높다.

05 배달의 흐름

이 책은 서울 지역의 배민원과 쿠팡이츠 배달 파트너를 전제로 적었다. 서울 외 지역은 아직 배민원이나 쿠팡이츠 보다 일반대행 주문이 더 많을 수 있다. 지방의 경우 기존 일반대행 업체와 가맹점의 관계가 돈독하고, 오토바이 배달 라이더 수가 한정적이기에 플랫폼 라이더가 전업활동이 어려울 수 있다. 따라서 본인이 처음 배달을 시작한다면 지역상황에 따라 배민1이나 쿠팡이츠 보다 일반 배달대행 업체를 알아보는 것이 나을 수 있다.

특정 지역에서 3개월 정도 하루 8시간 배달하면 시간대 별 도로상황과 상점의 위치, 특성을 알 수 있다. 1년을 배달하면 특정 날씨와 지역에 따라 피해야 할 메뉴를 알 수 있다. 예를 들어 치킨이나 피자 배달이 많은 축구경기가 있는 날엔 배민에서 "조리완료" 상태 콜을 잡아야 한다. 쿠팡은 콜을 배정받은 후 "조리완료"를 스마트폰 알림으로 알 수 있지만, 이미 조리완료 된 상태라면 음식이 나와 있는지 아닌지 알기 어렵다. 만약 상점이 반찬가게거나, 부대찌개 같은 음식이라면 이미 음식이 다 만들어져 있거나 비조리 상태에서 포장만 하면 되기도 하니 이럴 땐 조리시간이 남았어도 실제로 도착하면 완성되어 있을 때가 많다.

배달은 꾸준히 이어지는 흐름이 중요하다. 조리대기나 콜취소가 되면 흐름이 끊어진다. 배민의 경우 조리가 10~15분 남은 콜을 주기 때문에 조리대기 걸릴 가능성이 크다. 전달지와 다음 픽업지 거리도 가까운 콜을 잡아야 효율적인 동선을 그릴 수 있다. 하지만 무조건 다음 픽업지가 가깝고 조리시간이 짧다고 콜을 수락하면 안 된다. 픽업지 위치가 1층이 아니라 지하 2층이나 오피스 빌딩 안에 있는 경우 픽업하러 가게를 찾는데 5분 이상 소요될 수 있다. 전달지도 중요하지만 픽업지도 가깝고 들어가기 편하고 음식이 빨리 나오는 곳이 좋다.

콜이 많을 때는 아파트 보다 다세대 주택이나 빌라 위주로 간다. 당연하지만 아파트는 공동현관에서 호출해야 하고 1층~4층이 아니면 엘리베이터로 올라갔다 내려오면 최소 3분 이상 소요된다. 반면 다세대 주택은 공동현관 비밀번호가 적혀 있는 경우도 많고, 계단을 이용하면 3분 이내 전달할 수 있다. 큰 회사 건물이나 호텔은 출입이 어렵고 대부분 고객이 1층으로 내려와서 직접 받는 경우가 많으니 도착 5분 전에 전화해서 미리 나와달라고 해야 한다.

한강공원이나 축제 중인 곳은 배달을 피해야 하는 곳이다. 특히 불꽃놀이나 행사가 있으면 차가 막혀서 진입이 힘든 것은 물론이고 고객과 만나기도 쉽지 않다. 축구경기나 야구 등 중요경기가 있을 때는 가급적 치킨이나 피자상점은 피해야 한다. 주문이 밀려있을 가능성이 높기 때문에 "조리완료" 상태가 아니라면 거절이다. 비오는 날 파전 배달도 많은 편인데, 전집도 상점에 따라 도착해야 만드는 경우가 있으니 상점특성을 고려해서 수락해야 한다.

06 조리대기

배달은 결국 시간과의 싸움이다. 조리대기가 심할 때는 왜 심한지 이유를 알면 화도 덜 나고, 취소를 해야할지 말아야 할지 판단에 유용하다.

첫번째는 상습적인 조리대기 업장인 경우다. 이 경우 가게상호를 외우고 다음부터 그 가게는 거절하면 된다. 주로 짜장면이나 국수 같은 면요리 집이 라이더 도착 이후 만드는 경우가 많다. 3~5분 정도라면 이해할 수 있지만 그 이상 걸리는 집이라면 콜사가 심하지 않는 이상 거절하는 것이 좋다. 두번째는 전체적으로 콜이 없는 상황이다. 콜이 없으면 콜이 생성(고객이 주문)되고 가게에서 수락 후 가까운 거리에 있는 라이더를 배차하기 때문에 실제 업장에서 포장까지 준비시간을 10~15분 잡더라도 라이더는 보통 5~10분이면 도착한다. 이 경우 가게입장에선 완료까지 10분이나 남았는데 라이더가 먼저 도착했기 때문에 잘못이 없다. 이 경우 취소하고, 다른 콜을 받기 어려운 상황이면 기다리면 된다.

배민커넥트는 앱 화면에 조리완료 예정시간이 나오기 때문에 그 시간을 기준으로 기다리면 된다. 시간이 넘어도 안 나왔을 경우 가게에 앞으로 얼마나 더 걸리는지 물어보고 취소할지 결정하는 것이 좋다. 보통 한콜 당 15분이 소요된다. 따라서 15분 이상 걸리면 취소하고 다른 콜을 잡는 것이 좋다. 쿠팡이츠는 과거 라이더 앱에 시간이 나오지 않아 불편했다. 하지만 2024년 5월 업데이트 후 조리 예정시간이 보인다. 만약 조리시간이 지났는데 나오지 않았다면 가게에 꼭 물어보자. 무작정 기다려도 내 시간은 보상해주지 않는다. 물어보고 만약 시간이 얼마 안 남았다면 기다리면 된다. 또한 조리가 완료되지 않았는데 상습적으로 "조리완료"를 먼저 누르는 매장도 있으니 주의해야 한다(다음부터 가지 않거나, 일부러 늦게 간다).

07 상점특성

배달을 하다보면 특정 상점의 특성을 알 수 있다. 일단 매장이 찾기 쉽고 주차하기가 편한 곳인지부터, 업장에서 취급하는 음식이 빨리 나오는 메뉴인지, 사장 또는 아르바이트의 손이 빨라 음식이 잘 나오는 곳인지 등이 중요하다. 배민 같은 경우 주문이 들어오면 주문내역도 볼 수 있기 때문에 필요에 따라 세부내역까지 확인하고 수락하면 된다. 배민의 경우 배달 중에 다음 콜을 받는 것이 아니라 대기 중에 받을 경우 조리완료 시간이 15분 정도 남아도 콜을 주기 때문에 조리완료 시간이 특히 중요하다.

08 차간주행

지역 마다 특성이 있는데 차선의 폭이 넓은 지역이 있고 좁은 지역이 있다. 차간이 좁으면 오토바이도 통과할 수 있기 때문에 힘든 지역이다. 사실 오토바이의 기동성이 극대화되는 순간은 신호대기로 자동차가 모두 멈춰 있을 때, 차간주행으로 신호등 앞, 제일 앞까지 갈 수 있다는 점이다. 안전과 교통법규 준수를 생각하면 안되지만, 오토바이로 배달하는 이유는 빨리 가기 위함이고, 그럴려면 차간주행의 유혹을 외면하기 힘들다.

09   네비게이션

많은 배달고수 분들은 네비게이션을 사용하지 말라고 한다. 하지만 배달을 처음 시작한 사람이 네비게이션 없이 쿠팡과 배민 지도만 보고 가기엔 쉽지 않다. 쿠팡앱은 지도상에 경로라도 그려주지만 배민은 경로 조차 없다. 초기엔 네비게이션을 의지하되 이후엔 참고만 하고, 가보지 않았던 길도 가봐야 한다. 네비게이션 사용이 습관이 되면 안 된다. 아는 길은 네비게이션 없이 가면서 점차 사용을 줄여야 한다.

보통 한 개 지역(서울 기준 구단위)에서 3개월 정도 타면 상점 위치와 큰 길을 기준으로 구역단위가 눈에 들어온다. 런던 택시기사의 두뇌 해마가 발달했다는 연구결과가 있다. 우리의 뇌에는 공간적으로 자신의 위치와 목적지를 찾아가는 능력이 있으나 정해진 노선만 다니면 해마가 발달하지 않는다고 한다. 이처럼 새로운 길을 계속 찾지 않으면 배달실력이 향상되지 않는다.

쿠팡과 배민 모두 앱 상에서 상업용 지도를 사용하기 때문에 세부 주소와 도로를 확인할 수 있다. 하지만 네비게이션은 근처에 가면 종료되며, 세부주소와 도로명을 확인하기 힘들다. 네비게이션을 사용하더라도 결국 배달지 근처에 가면 앱 상 지도를 확대해서 다시 확인해야 한다. 특히 쿠팡은 앱 상 지도에 네비게이션 보다 나은 최적화된 경로를 가르쳐주기 때문에 신뢰할만 하다. 가끔 쿠팡 경로를 따라가다 보면 오토바이로 갈 수 없는 길을 안내하기도 하지만 갈수록 발전하여 24년 기준 1~2년차 배달 라이더 보다 나은 대안 경로를 제시하는 경우도 많다.

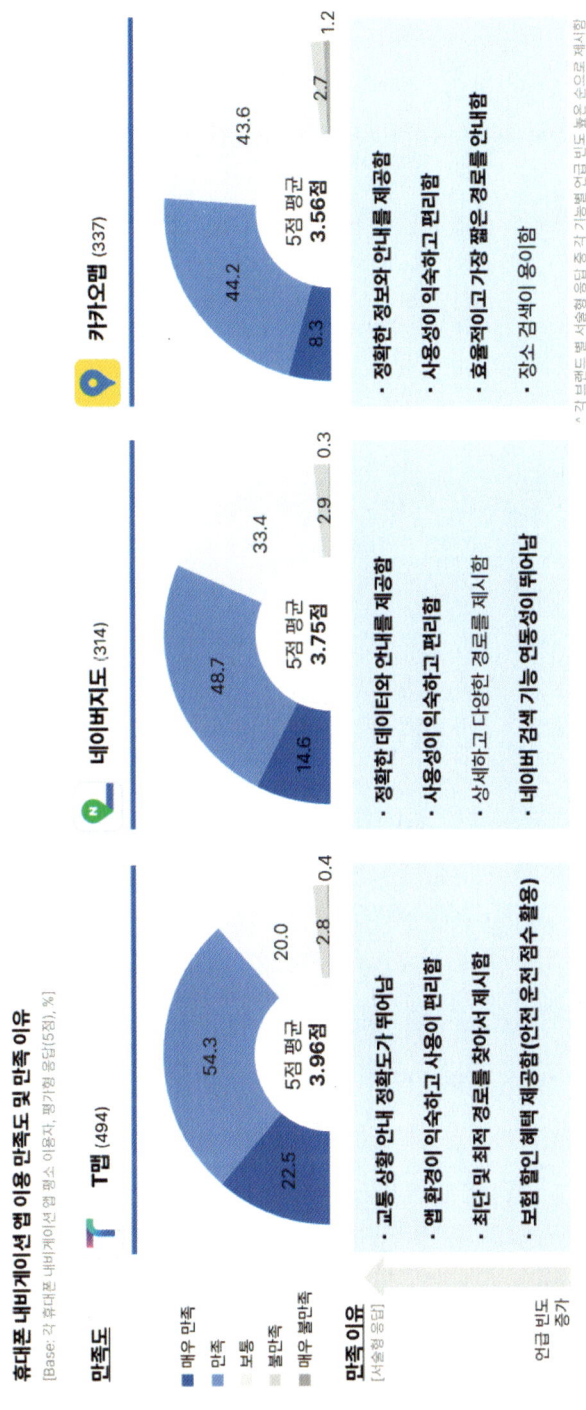

6장

배달용어

01 배달대행

"배달대행사"를 줄여서 대행이라 부른다. 길에서 흔히 보이는 생각대로(국민배달), 바로고, 부릉(메쉬코리아), 만나플러스 같은 대행 프로그램을 이용해 상점과 계약하고 배달을 수행한다. 특정 가게에 소속된 것이 아니라 배달대행 사무실에 소속되서 사무실 가맹상점의 배달주문을 수행한다. 쉽게 말해 여러 음식점이 배달 라이더를 공유한다고 생각하면 된다. 대행사는 라이더를 모집하고 음식점과 배달라이더를 연결하는 프로그램을 제공한다. 가게 입장에서는 배달량 만큼 배달 수수료를 지급하면 되고 따로 배달원을 채용하거나 오토바이를 구매할 필요가 없다. 배민1, 쿠팡과 가장 큰 차이점은 동시에 여러 음식 또는 물건을 픽업하고 전달할 수 있는 것이다. 자신의 능력과 상황에 따라 상점과 계약된 시간 안에만 전달하면 된다.

02   특수형태근로종사자(특고직)

근로자가 아니면서 자신이 아닌 다른 사람의 사업을 위하여 자신이 직접 노무를 제공하고 해당 사업주 또는 노무수령자로부터 일정한 대가를 지급받기로 하는 계약(노무제공계약)을 체결한 사람을 의미한다. 계약의 형식에 관계없이 근로자와 유사하게 노무를 제공함에도 [근로기준법]에 적용되지 아니하여 업무상의 재해로부터 보호할 필요가 있는 사람으로서, 14개 직종 종사자를 정의하고 있다. 고용보험과 산재보험에 가입된다. 라이더가 배민커넥트나 쿠팡이츠에서 일을 시작하면 특고직으로 공단에 신고된다.

03   딸배

배달 종사자를 비하하는 뜻으로 쓰인다. 배달을 반대로 하면 달배가 되고 여기에 강한 발음을 붙여 딸배라 한다. 어떤 사람은 슬리퍼를 군대용어로 "딸딸이"라 부르고 슬리퍼를 신고 신호위반, 인도주행을 하는 라이더를 의미한다 변형되었다고 한다. 배달통을 딸통이라 부르는 것에서 유래되었을 수도 있다. 또한 "딸배헌터"라는 유튜버가 마산과 창원지역 배달기사들의 불법행위를 신고하며 더욱 알려지기 시작했다. "금융치료"라고 해서 신호위반이나 인도주행하는 라이더를 딸배라 부르며 카메라를 들고다니며 전문적으로 사진 찍어 과태료를 내게끔 하는 경우가 있으니 주의해야 한다.

04   노뚝

No 뚝배기의 줄인 말로 헬멧(하이바)를 쓰지 않는 것을 의미한다.

05   피크타임

배달이 가장 바쁜 시간을 뜻한다. 평일 기준 점심시간 11:20~12:40(주말 14:00) 저녁시간 17:30~19:40이 피크타임이다. 점심피크는 12:45분, 저녁피크 19:45분 정도 되면 다음 콜이 잘 안 들어오는 경우가 있다. 고객의 주문이 몰리는 시간도 비슷하지만 끊어지는 시간도 비슷하기 때문이다. 아침엔 커피, 빵 등의 브런치 배달이 있고, 13:00~15:00에는 음료나 디저트 배달이 있는 편이다.

06   콜사

피크시간의 반대는 비피크 시간이지만, 한편으로 콜사(Call+死)라고도 할 수 있다. 길가에 바이크를 세우고 핸드폰을 보고 있는 라이더를 본 적 있을 것이다. 물론 쉬는 시간일 수도 있겠지만 보통 비피크 시간에 콜사가 날 경우 식사를 하는 경우가 많다. 플랫폼에서 콜을 주지 않으면 콜이 많은 지역으로 이동하는데, 번화가에서도 콜을 받지 못하면 콜사가 심하다고 할 수 있다. 사람 마다 보통 3~5분 정도 콜이 들어오지 않으면 콜사라 한다. 번화가에서 콜이 15분 이상 들어오지 않으면 콜사가 심하다고 볼 수 있다.

07   유배지

번화가에서 멀어서 다음 콜을 받기 어려운 외곽 지역을 의미한다. 전달 완료 후 다음 콜을 받지 못할 경우 빈차로 다시 주문이 많은 지역까지 이동해야 하기 때문에 시간 공백이 생긴다. 배민과 쿠팡의 알고리즘은 현재 콜을 타고 있는 사람을 우선해서 배차하기 때문에 유배지에서 빈차로 번화가에 가더라도 콜이 많지 않은 경우 바로 콜을 받기 어려울 때도 있다.

08   천룡인

천룡인은 일본 만화 '원피스'에 나오는 특수 계층으로 다른 인간들을 열등하게 여기며 노예로 부리는 악역이다. 배달하는 사람들에게 천룡인은 강남권 아파트 중 지하주차장 오토바이 출입을 제한한 단지를 뜻한다. 큰 단지의 경우 10분 이상 걸어 들어가야 한다. 대다수의 아파트는 지상출입은 막더라도 지하주차장에 진입이 가능하지만, 천룡인 아파트는 정문 또는 후문에 오토바이를 주차하고 단지 안을 걸어가야 한다. 다른 배달에 비해 시간이 2배 이상 걸리는 경우가 많아 콜이 정말 없는 때가 아니라면 기사들이 거절한다.

09   자토바이

플랫폼에 배송수단을 자전거로 등록하고 실제로는 오토바이로 배달하는 라이더를 지칭한다. 자전거로 등록하면 배송거리가 짧은 콜을 주는데 배달료는 오토바이와 차이가 적어 단시간에 많은 콜을 하는데 유리하다. 특히 비나 눈이 올 때 단거리 위주로 높은 단가의 콜을 받을 가능성이 높다. 하지만 속도가 빠르면 고객센터에서 이를 감지하여 전화가 올 수 있다.

10   끌바

횡단보도나 인도에서 오토바이를 타지 않고 끌고 다니는 것을 말한다. 원래 오토바이를 끌 때는 시동도 꺼야하는 것이 원칙이나 대부분 시동은 끄지 않고 엑셀을 돌려 오토바이를 이동한다. 나의 경우 횡단보도에서 분명히 오토바이를 끌고 이동했는데 멀리서 본 경찰이 오토바이를 탔다고 주장해서 현장에서 단속된 적이 있다. 추후 구청에 정보공개요청을 해서 해당 시간 대 CCTV 자료를 받아 직접 경찰서에 찾아가 영상을 보여주고 말소시켰다.

11   샵인샵

한 개의 배달전문점에서 여러 사업자를 갖고 다품목을 취급하는 상점을 의미한다. 매코로나 기간에 매출 증대를 위해 많이 생겼는데, 종종 픽업지의 상점명과, 앱에 나오는 상점명이 다른 경우가 있다. 1개의 매장에서 2~3개의 사업자로 운영하는 일이 많기에 보통 A4용지에 여러개 상호명을 적어 놓지만 그렇지 않은 경우도 있으니 주소를 확인하고, 매장에 들어가 다시 한 번 물어보는 것이 좋다.

12   공유주방

배달전문 식당이 모여 있는 사업장을 의미한다. 푸드코트인데 매장 내 식사공간이 없고 주방만 있는 식당이 여러 개 모여있다. 주방시설이 이미 갖추어져 인테리어가 필요 없기에 초기 창업비용이 낮다. 배달에 최적화 된 경우가 많다. 업장마다 고유의 주방을 운영하기 때문에 주방은 여러 개고 사업장 내 1개 층 또는 공간을 공유한다고 보는 편이 정확하다. 강남에는 역삼동 푸르지오 지하, 서초구 동아빌딩 지하의 고스트키친 등이 있다.

13   픽업 / 오픽업 / 오배송

픽업은 상점에 도착해서 음식을 수령하는 것을 말한다. 보통 상점에 도착하면 주문번호 뒷자리 4개정도 불러준다. 배민이면 "배민이요, 3XXX" 또는 "쿠팡이요, J3F3"라고 하거나 메뉴명, 가격 등을 말하면 된다. 음식이 이미 나왔다면 주문번호를 확인하고 가져가면 된다. 만약 아직 음식이 나오지 않았다면 조리 시간이 얼마나 남았는지 물어보고 상황에 따라 기다리거나 취소하면 된다.

오픽업은 내가 잘못 가져가거나, 내가 배달 해야하는 음식을 다른 라이더가 가져간 경우를 말한다. 오배송은 다른 집 앞에 음식을 두고 오는 것을 말한다. 대부분 주소는 맞는데 다른 층이나 옆집, 혹은 다른 동에 배달한 경우가 많다. 오배송 연락을 받았을 때 대부분 쉽게 인정하기 어렵다. 그렇다고 다시 가서 확인하자니 이미 멀리 이동한 상황이라 어려울 때가 많다. 아파트는 전달지 핀이 찍힌 위치와 실제 주소지의 동 위치가 다른 경우가 많으니 다시 한번 확인해야 한다.

14   과적기준(추가배차)

쿠팡이츠와 배민원 모두 배달 총 금액 10만원 이상부터 단독배달 시 추가배차 최소기준이 된다. 설령 배달금액이 15만원 이상이라도 물량이 많아 2명이 나눠서 배달한다면 추가금액을 주지 않는다. 가끔 10만원 미만이라도 양이 매우 많거나, 무게가 무겁다면 사진증빙을 통해 추가금액을 주는 경우도 있으나 이는 드문 케이스다. 간혹 앱 할인쿠폰으로 주문하여 주문금액은 10만원 이하인데, 종이 영수증은 10만원이 넘는다면 추가지급을 받을 수도 있으니 종이 영수증도 확인해보자.

15   배민원 과적기준

- 음식 10만원 이상일 경우
- 음료 13잔 이상일 경우
- 고객주소 오기재 및 엘리베이터 고장 (건당 3,000원)

배달의민족은 고객센터에 전화 할 필요없이 배민커넥트 앱 내 고객센터 채팅상담으로 가능하다. "배달상태변경→추가 배차 필요해요→배달,기타 사유→대량주문"을 선택하면 즉시 할증이 적용된 것을 확인할 수 있다.

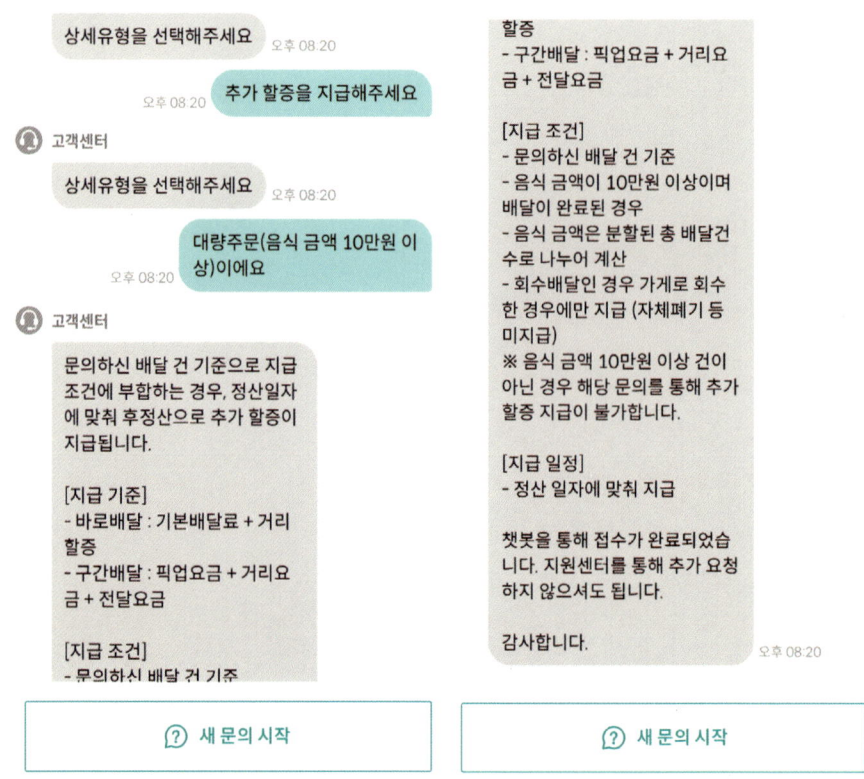

16 쿠팡이츠 과적기준

고객센터에 추가 비용 접수 (1670-9871)	✓ 주소상이
	✓ 배달중 사고
	✓ 엘리베이터 고장(점검표시, 사진촬영 증빙)
	✓ 핀 위치 오류
	✓ 픽업 후 주문취소
	✓ 배달지 오작성하여 정정배달한 경우

쿠팡이츠 과적은 고객센터에 전화로 신청했으나, 2024년부터 링크를 통해 직접 신청하는 것으로 변경됐다. 주문번호와 시간등을 입력해야 되니 영수증 사진을 찍어두면 추후에 입력할 수 있다.

10만원 미만	음료수 13잔 or 음료수 10잔 + 메뉴 2건 이상일 경우: 해당 배달 건, 배달 수수료 * 2 (배달지불금 1건 추가)
10만원-15만원	메뉴 수량 5개 이상일 경우 (배달지불금 1건 추가)
15만원 이상	해당 배달 건, 배달 수수료 * 2 (배달지불금 1건 추가)
30만원 이상	해당 배달 건, 배달 수수료 * 3(배달지불금 2건 추가)
45만원 이상	해당 배달 건, 배달 수수료 * 4(배달지불금 3건 추가)

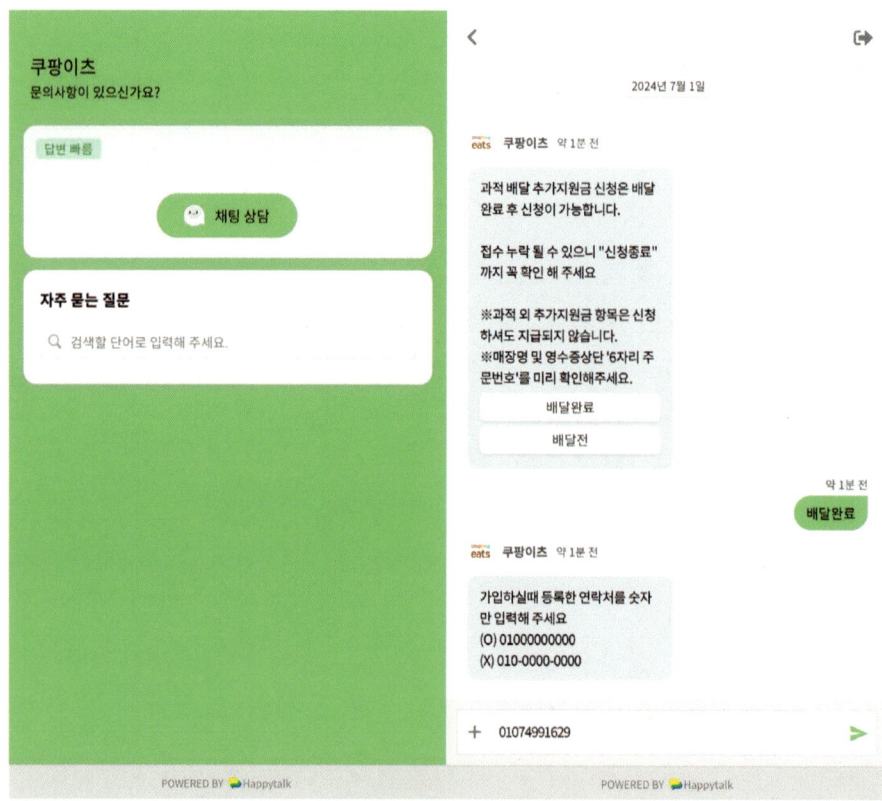

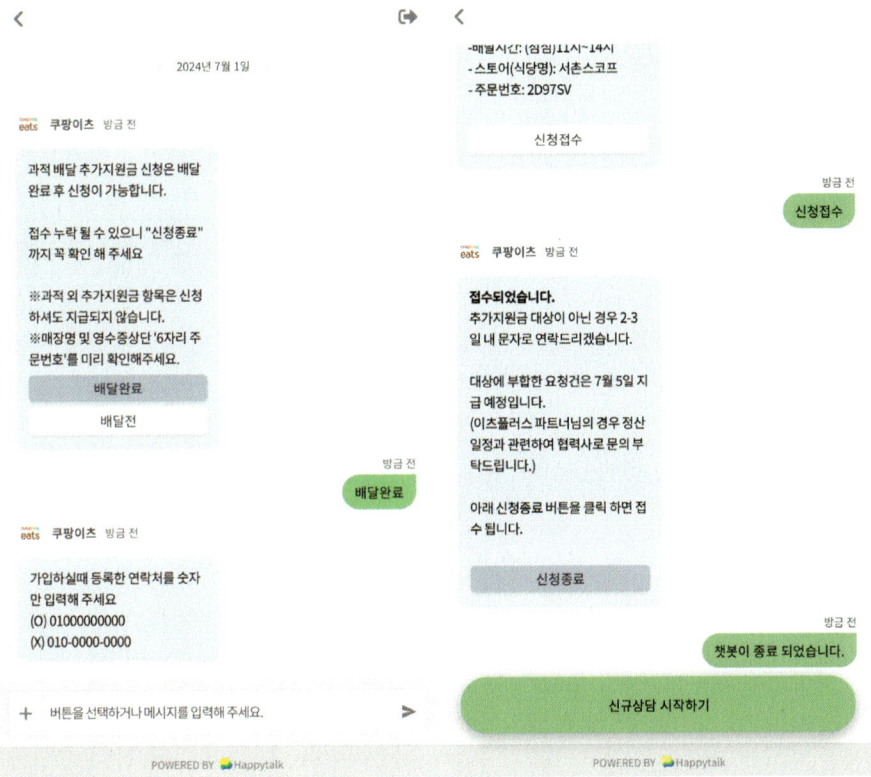

7장

꿀팁 및 오토바이 관리

01 목표설정

시간, 갯수, 금액 중 한두가지를 목표로 삼으면 좋다. 사실 목표가 없어도 된다. 하지만 1년 이상 다양한 라이더를 지켜본 결과 자신만의 기준을 갖고 루틴을 만들어 꾸준히 타는 분들이 롱런하는 경우를 많이 봤다.

예를 들어, 몸이 안 좋으신 어떤분은 일단 출근하면 20만원을 목표로 타시는 분도 있었고, 매일 동일한 시간에 출근해서 퇴근하시는 분도 있다. 특정한 요일은 꼭 쉬는 분도 있다. 배달일은 간섭 없이 플랫폼 운영 시간 동안 자유롭게 일할 수 있기 때문에 자기관리가 되지않으면 일에 지장을 받기 쉽다.

02   배달마인드

"백문불여일콜"이라 일단 한번 타보면 안다. 똥콜, 유배지도 한 번이라도 가보는 것을 추천한다.(물론 콜사가 심하거나 특수한 경우에만) 단가도 좋고 콜도 많을 때는 골라 탈 수 있지만, 코로나가 끝난 이후 그런 날은 생각보다 많지 않다. 콜 상황이 좋지 않으면 내가 거기에 맞춰서 변해야 한다.

"이전에는 안 그랬는데…" 이런 말은 통하지 않는다.

라이더도 자영업자와 같다. 식당에서 음식을 하나 주문받아 판매하듯 우리도 배달 한 건을 할 때마다 같은 입장이다. 상점주인들도 배민이나 쿠팡에 입점해서 매출증대를 위해 많은 노력을 한다. 특히 운영시간, 조리시간, 주문완료율 등 조건을 충족해야 상위에 노출될 수 있다. (예를 들어 쿠팡이츠의 경우 라이더가 매장도착 버튼을 누른 후 음식을 수령했을 때 즉시 픽업버튼을 눌러야 "조리 정확도"가 올라가서 상위권에 노출될 가능성이 높아진다.)

라이더도 마찬가지다. 배달을 잘하기 위해 길을 잘 알아야 하는 것은 물론이고, 상점위치, 상점특성, 지역특성 등등 알아야 할 것이 있다. 상점에 들어가자 마자 다양한 이유로 기분이 상하기도 한다. 냄새나 위생 등으로 들어가기 싫은 상점, 직원이나 상점주인의 불친절한 상점 등등. 하지만 라이더와 상점의 관계는 갑과 을이 아니기에 어느 쪽도 우위에 있지 않다. 그러니 문제가 생겼을 경우 직접 대응하지 말고 고객센터를 통해 처리하는 것이 좋다. 상점과 라이더의 관계가 상하관계가 아니듯 고객센터의 상담원과 라이더의 관계도 마찬가지다.

간혹 고객센터가 답답하다고 막 대하는 경우가 있는데, 상담원 역시 주어진 제약조건에서 권한과 책임의 한계가 있다. 감정적으로 흥분하고 대응해서 좋을 건 없다. 또한 아파트 경비원이나 상점에서도 기분이 상하는 다양한 상황이 발생한다. 일부 건물에서는 주민에게 위협감을 준다고 헬멧을 벗으라고 한다거나, 경비원이 반말을 한다거나, 상점에서 라이더에게 짜증을 내는 경우가 있다.

때로는 픽업지까지 한참 갔는데 전달지는 바로 앞이라 기본 요금이고, 심지어 조리는 안되어있는 상황도 있다. 이런 경우 "멘탈(Mental)이 깨지는 일(패닉상태)"이 생긴다. 몇 가지 힘든 상황은 아래와 같다.

1) 10분 이상 조리대기
2) 10층 이상 엘베고장
3) 음식 터짐
4) 고객연락 두절
5) 경찰의 스티커 발부
6) 내 앞길을 막는 모든 것

이런 상황에서 정답은 없다. 현장에서 장소, 상황 그리고 고객 유형에 따라 최선의 방법을 선택해야 한다. 사실 이 모든 것들은 시간과 연결되어 있다. 배달은 시간이 곧 돈이기 때문에 나의 의지와 상관없이 시간이 소요되면 화가 날 수 있다. 하지만 배달을 하다 보면 피할 수 없는 상황이고, 화를 내도 상황은 달라지지 않는다.

03 배달의 흐름(리듬)

전업으로 어느 정도 배달을 해보신 분들이 공통적으로 중요하게 여기는 것 중 하나는 바로 "흐름"이다. 리듬이라고 해도 좋은데, 사람마다 다르지만 보통 피크시간에 2~3시간 정도 콜이 연속으로 이어지면 음료만 마시면서 집중해서 연속으로 탄다. 하지만 이 시간 중에 잠시라도 콜이 끊어지면, 다시 콜을 잡고 조리대기 할 가능성도 높다. 흐름이 깨지지 않으려면 다음 콜이 연속적으로 이어지는 것이 중요하다. 중간에 콜사 또는 조리대기로 흐름이 끊어지면 10분 정도가 날아간다. 10분이면 단거리 1콜을 수행할 수 있는 시간이다. 따라서 다음 콜을 잡을 때 조리대기나 콜사가 나지 않도록 하는 이유는 흐름, 즉 시간손실을 최소화 하기 위함이다. 몰입해서 배달하다 보면 2~3시간은 훌쩍 지나간다.

04 장거리콜 또는 유배지도 좋을 때가 있다?

만약 단가가 좋지 않을 경우 장거리콜이 상대적으로 금액이 높은 편이기에 3,000원대 2콜 가는 것 보다 5,000원 1콜, 3,000원 1콜을 가는 것이 더 나을 수 있다. 실제로 콜을 수락하고 완료까지 소요되는 시간을 보면 10분~20분 사이인데, 교통상황이 나쁜 경우가 아니라면 5분 정도 차이난다.

특히 장거리 유배지콜은 외곽지역에 위치한 경우가 많아 차가 덜 막혀서 도심 보다 빠르게 다녀올 수 있다. 또한 피크시간이 끝날 무렵 콜사가 날 것 같으면 빈차로 기다리는 것 보다 차라리 장거리 유배지라도 다녀오는 것이 나을 수 있다.

05   배달 평점

　　　　쿠팡이츠의 경우 배달파트너의 평점도 콜배정에 영향을 준다고 알려져 있다. 배차순위는 단순히 매장과의 거리 뿐만 아니라 수락률, 완료율 등을 고려한다고 한다. 또한 배달이력을 기반으로 파트너의 등급도 있다고 한다. 고객이 바로 평가하는 따봉과 역따봉이 있다. 배민1도 마찬가지로 앱에서 배달기록에 "배차수락율", "수락 후 배달 완료율", "고객만족도"를 평가한다. 3개월 간 최근 100건에 대한 통계이며, 배차수락률은 AI추천배차에서 수락한 배달 건을 대상으로 한다. 고객 만족도는 고객의 좋아요/아쉬워요 리뷰 기준으로 쿠팡의 따봉/역따봉과 비슷하다.

06   바른자세와 나에게 맞는 장비

배달인들은 직업병으로 손목과 팔꿈치, 허리가 아프다. 특히 핸드폰을 볼 때 구부정한 자세가 될 수 있는데, 이러면 허리가 더 아프다. 자세가 바르지 않으면 서스펜션과 시트를 바꿔도 허리가 아픈 건 동일하다. 운행할 때 바른자세로 앉아서 허리에 가는 충격을 최소화해야 한다. 또한 무거운 헬멧을 쓰고 장시간 운행하다가 목 디스크가 재발한 경우도 있으니 주의해야 한다. 처음에 비용을 아끼려고 저렴한 장비를 구매했다가 추후 불편해서 재구매하는 경우가 많으니, 처음부터 잘 알아보고 자신에게 적합한 제품을 신중하게 구매해야 한다.

07   자기관리

국토교통부의 〈2022년 배달업실태조사〉 발표에 따르면 소화물배송 대행서비스사업에 종사하는 배달원 수는 237,188명으로 2019년 상반기 119,626명에서 약 2배 증가했다. 음식배달 종사자는 월 평균 25.3일 근무, 월 평균 보수액은 381만원을 벌고 보험, 렌탈료 등으로 약 95만원 지출한다고 한다.

열심히 일해서 돈을 많이 버는 것도 좋지만 건강을 잃으면 더 큰 비용을 치를 수 있다. 처음 시작할 때 돈 버는 재미에 몸 생각 안하고 일을 하다가 건강을 해친 경우가 종종 있다. 흔하게는 요통(허리통증), 목 디스크부터 장시간 엑셀 사용으로 인한 손목과 발꿈치 인대손상까지 다양하다. 반대로 몸과 마음이 좋아지는 경우도 있다. 당뇨가 있던 사람은 배달하며 오래 걷다 보니 당수치가 내려가고, 운동을 안 했던 분은 체력이 좋아지고, 우울증이 있던 분은 집중해서 즐겁게 일하다 보니 정신건강이 좋아졌다고 한다.

50분을 일하면 10분 간 휴식하는게 좋다고 하지만 배달을 하다 보면 사실상 불가능에 가깝다. 실시간으로 다음 콜이 들어오는 상황에서 앱을 끄면 다음 콜이 들어오기까지 간격이 생긴다. 또한 따라서 자신만의 루틴을 만들어 식사시간, 휴식시간 등을 만들면 좋다.

개인적으로 쉴 때는 다시 배달을 좀 더 잘하기 위해 마사지나 안마기계 등도 추천한다. 배달을 오래 하다보면 허리나 목이 뻐근한 경우가 많은데 마사지를 받으면 근육 긴장이 풀린다. 만약 부담스럽다면 "세라젬 웰카페"을 추천한다. 커피나 음료를 마시면 안마의자와 안마침대 등을 무료로 사용할 수 있다. 커피나 음료 가격도 일반 프랜차이즈 카페 수준이라 사실 상 기계 사용료는 없다. 만약 목이나 어깨에 담(근육이 딱딱하게 뭉치며 신경을 누르는 증상)이 왔다면 한의원에서 침을 맞거나 타이 마사지도 추천한다.

오토바이 타고 운행하면 아드레날린이 나오고 긴장한 상태로 운행할 수 있다. 따라서 긴장을 풀기 위해 "나만의 의식"을 만들면 좋다. 어떤 분은 유튜브를 보기도 하고, 퇴근하고 식사하며 술을 드시는 분도 있다. 필자는 무알콜 맥주 한캔을 종종 마신다.

08   스마트폰

배민커넥트나 쿠팡이츠는 모바일 어플리케이션 플랫폼 기업이다. 앱을 사용하려면 스마트폰이 있어야 한다. 이왕이면 화면도 크고 빠른게 좋다. 최근에는 갤럭시Z폴드를 쓰시는 분도 많다. 쿠팡이츠는 특히 아이폰을 사용하면 반응도 빠르고 화면캡쳐도 가능하다.

09 엘리베이터

엘리베이터는 "닫힘"버튼부터 누르자. 몇 초 차이일 수 있지만 사소한 습관이 모여 시간을 벌 수 있다. 낮은 층은 때로 계단이 빠를 수 있다. 일부 아파트는 화물용 엘리베이터를 타야할 때도 있다. 화물용은 사람들이 잘 사용하지 않아 더 빨리 탈 수 있으니 긍정적으로 생각하면 좋다. 가끔 짐을 잔뜩 실은 택배원과 같이 타거나 엘리베이터를 택배원이 잡고 층마다 멈추는 경우가 있는데, 엘리베이터가 하나라면 빠르게 판단하고 계단을 이용하는 것이 나을 수 있다.

만약 택배원과 같이 탔다면, 사정을 이야기하고 먼저 배달층에 물건을 전달하고 차라리 계단으로 내려가는 것이 나을 수 있다. 그리고 엘리베이터를 잡아두기 위해 문이 닫히지 않도록 신발을 벗어 놓거나, 내릴 때 윗층을 눌러놓고 다시 탈 수 있게 하는 방법도 있는데, 상황에 따라 다른 사람에게 피해가 가지 않도록 적절히 사용하면 좋다.

쿠팡이츠의 경우 엘리베이터가 없거나 고장 시 6층부터 천원이 추가된다. 단, 바로 내려오지 말고 해당 층에서 영수증과 같이 사진을 찍어두면 좋다. 혹시 모르니 엘리베이터가 없다는 증거사진도 찍어서 고객센터에 연락하면 사진을 업로드 할 수 있는 링크를 받아 올리면 된다. 배달은 10층 이상부터 할증이며 이후 5층마다 추가할증이 붙는다. 하지만 이런 경우 시간과 체력낭비가 될 수 있기 때문에 고객과 통화 후 중간에서 만나자고 하는 편이 나을 수도 있다.

10   비밀번호

자주 가는 곳은 공동 현관 비밀번호를 알면 좋다. 요청사항에 고객이 비밀번호를 적어 둔 경우가 있으니 자주 가는 곳이라면 기억해 놓자. 공동 현관에서 호출하면 집 안에서 소리를 못 듣거나 집이 커서 문을 열기까지 다소 시간이 걸릴 수 있다. 보통 경비실에 연락하면 헬멧 쓴 것을 보고 바로 열어주는 경우가 많다. (강남 지역 일부 아파트는 경비실 호출해도 안 열어주는 경우가 있다.)

사실 공동현관 비밀번호 보다 중요한 것은 화장실 비밀번호다. 운행 중에 급하게 화장실에 가야 할 때, 요즘에는 대부분 화장실이 잠금이 걸린 경우가 많다. 따라서 가게에 갔을 때 물어보고 미리 메모해두면 좋다
* (단 깨끗이 사용해야 다음에 비밀번호가 안 바뀐다).

👤 고객 요청

"개구리 붙어있는 건물입니다. 안쪽으로 들어오시면 됩니다"
"벨O 문 앞에 놔주세요"

11 요청사항 확인

음식을 픽업하러 갈 때는 가게의 요청사항을 픽업 후에는 고객요청사항을 꼭 확인하고, 애매하면 전화하자. 콜을 배정받았을 때 가게 요청사항 부분에는 대형 쇼핑몰의 경우 찾아가기 쉽게 설명 해놓은 가게도 있고, 등록된 주소지와 실제 영업장의 위치를 다르게 적어 둔 곳도 있다.

다양한 고객 요청사항

👤 고객 요청

"Go up the hill from Daiso Store. Go past GV Residence and turn right at 'Dream Villa'(it has garage doors). Turn right to the glass doors and go down to the basement."

"벨O 문 앞에 놔주세요"

[고객에게 전화]

👤 고객 요청

"이태원로 19길   이에요 1층 대문열고 올라오셔서 한번더 문을 열고 올라오시면 2층 이에요"

"1층 대문 열고 올라오셔서 문을 한번 더 열고 올라오시면 2층 이에요"

[고객에게 전화] [자동 문자 예약]

👤 고객 요청

"공동비번 #*7896#"

"공동비번 : #*7896# 벨 누르지 마시고 문 앞에 놓고 가주세요"

[고객에게 전화] [자동 문자 예약]

12   오배송 대처

음식을 다른 주소지에 잘못 배달했을 때 가장 좋은 해결책은 음식이 식기 전에 회수해서 재전달하는 것이다. 보통 오배송하면 고객이 고객센터에 전화해서 음식을 못 받았다고 이야기하고, 고객센터에서 다시 나에게 확인전화를 한다. 전화가 바로 오면 좋겠지만 빠르면 30분, 늦으면 1~2시간, 심한 경우 다음날 전화가 오는 경우도 있다. 이 경우 음식도 회수하기 어렵기 때문에 비용을 그대로 보상할 수밖에 없다. 만약 1~2시간 후에 연락와서 알게 되더라도 고객이 음식을 받지 않겠다면 마찬가지로 보상해야 한다. 이 경우 음식은 오배송한 주소지에 그대로 있을 가능성이 크기 때문에 내가 찾아서 먹거나, 포기하면 된다. 오배송 시 쿠팡은 정산금액에서 자동으로 차감되고, 배민은 전용계좌로 해당 금액을 입금해야 한다.

13   회수콜

가끔 음식이 잘못된 경우 고객센터에서 전화로 다른 사람이 잘못 배달한 음식을 회수 해달라는 요청 전화를 받을 수 있다. 만약 자체폐기인 경우 수락한 후 회수한 음식 상태가 좋을 경우 먹어도 된다. 만약 상태가 안 좋다면 음식물쓰레기로 버리면 된다.

14 고객부재

사무실 빌딩이나 아파트 같이 출입이 어려운 곳에서 고객과 연락이 안 될 때가 있다. 아파트의 경우 경비실을 통해 문을 열고 들어갈 때도 있지만 그 마저도 어려울 때가 있다. 이런 경우 무작정 기다리지 말고 고객센터로 바로 연락하면 된다. 고객센터에서 다시 고객에서 연락해도 안 받는다면 상황에 따라 빠른 판단이 필요하다. 배민의 경우 고객부재로 인해 음식전달이 어려울 경우, 고객센터 확인 후 음식을 그대로 싣고 다음 배달을 수행해도 된다. 이후 1시간이 지나도 따로 연락이 없으면 해당 음식은 "자체폐기"하거나 먹어도 된다. 반면에 쿠팡은 고객센터 연락 후 해당 주소지 부근 잘 보이는 곳에 놓고 사진 찍어 전송하면 된다.

공지   2024.05.29
고객 부재 시 1시간 보관 정책 폐지 안내 (푸드)
전체

안녕하세요. 우아한청년들입니다.
배달 시 편의성 개선을 위해 기존 고객 부재 시 1시간 배송물품(푸드)을 보관 후 재배달하는 정책을 아래와 같이 폐지하고자 합니다.
* B마트, 스토어, 주류를 포함한 푸드 주문 건의 경우, 기존과 동일하게 고객 부재시 회수 진행함

■ 적용일
· 24년 6월 4일(화)

■ 내용
· 고객 부재시 1시간 보관 정책 폐지
· 신규 프로세스
1) 배달지 도착 > 문앞 보관 불가 상황 (앱 내 공동현관문 비밀번호 미입력 등)
2) 고객통화 > 부재
3) 고객센터 문의 (고객센터에서는 고객님께 2회 이상 통화)
> 지속부재
4) 고객센터 안내 수신 후 공동현관문 등 앞 보관 후 사진 촬영
> 문의하기에 보관장소 기입 (예, 204동 1층 공동현관 앞)
5) 배달완료

■ 주의사항
· 고객 통화를 꼭 진행해 주세요.
· 식별 가능한 장소에 보관 및 촬영을 해주세요.
✓ 미촬영과 보관 장소를 확인할 수 없는 촬영은 고객 분쟁 및 배달 귀책이 발생 할 수 있습니다
· 푸드 배달에만 적용됩니다.
✓ B마트, 스토어, 주류를 포함한 푸드 주문 건의 경우, 기존과 동일하게 회수 진행

15   음식훼손

    물건을 떨어트리지 않는 이상, 가장 훼손 가능성이 높은 경우는 과속 방지턱을 지날 때 음식이 뒤집힐 때다. 특히 맥도날드 같은 패스트푸드점 음료는 봉지걸이에 걸지 않고 통에 실을 경우 음료가 새기 십상이다. 커피 또한 캔이 아니라면 실링을 꼭 확인해야 한다.

    일단 음식이 훼손 됐다면, 포장이 불량인지, 운행 중 그런 것인지 책임소재를 가리기 어렵다. 라이더 입장에선 포장불량이라고 주장하는 수밖에 없다. 이런 경우 고객에게 전달하며 포장불량 같으니 고객센터에 연락하면 필요한 조치를 받을 수 있다고 이야기하면 된다. 하지만 훼손이 잦으면 기록이 남기 때문에 추후 불이익을 받을 수 있으니 주의해야 한다.

피자는 아무리 조심해도 모양이 망가지기 쉽다. 그래서 어떤 라이더들은 피자가 배달통에도 잘 안 들어가고 배달이 까다롭다는 이유로 무조건 거절하기도 한다. 하지만 방지턱과 코너링만 조심하면 피자도 생각보다 잘 망가지지 않는다. (+피자는 고객에게 전달 하기전에 상자 끝을 잡고 살짝 흔들어서 모양을 잡아주면 좋다.)

초밥도 망가지기 쉬운 품목 중 하나다. 최근에는 초밥을 포장용기에 놓고 랩으로 감싸서 흐트러지지 않게 하는 곳도 생겼지만 많은 초밥집들은 포장용기에 넣고 뚜껑만 덮는다. 이런 경우 방지턱이나 코너링에 밥과 생선이 분리 될 수 있으니 주의해야 한다. 주류를 배달을 할 때는, 신분증을 확인하는 것 보다 병을 깨지 않고 가져가는게 더 중요하다. 1병은 괜찮지만, 2병 이상이라면 병끼리 부딪쳐서 깨질 수 있으니 병 위치에 신경 써서 실어야 한다. 패스트푸드점 음료도 종이컵이 얇고 공기구멍에서 음료가 샐 때가 많으니 가급적 봉지걸이에 걸어두는 것이 좋다. 뜨거운 음료는 랩핑이 제대로 되어 있는지 확인해야 한다.

16   직선거리와 네비게이션 거리

직선거리는 픽업지부터 전달지까지 지도 상에 자로 그은 것처럼 일자로 측정된다. 만약 산이나 물이 있어서 빙 돌아가야하는 경우라도 직선거리만 산정된다. 반면에 네비게이션 거리는 교통상황에 따라 네비게이션 상 거리가 그대로 인정된다. 따라서 일반적인 상황이면 네비게이션 거리가 더 길게 나온다. 과거 배민은 직선거리로 배달금액을 산정하고 쿠팡이츠은 네비거리로 계산하였으나, 현재 배민은 네비거리, 쿠팡이츠 일반은 네비거리, 쿠팡이츠 플러스는 직선거리로 요금을 산정한다.

17   고객센터

배달하다 문제가 생겼을 때 라이더가 플랫폼과 소통할 수 있는 창구는 고객센터 밖에 없다. 배민의 경우 대부분 채팅으로 해결되지만, 쿠팡이츠는 직접 전화를 해야 한다. 일 하기도 바쁜데 문제도 빨리 해결해야하는 상황에서 통화가 연결되기를 기다리다보면 이미 감정이 상하는 경우가 많다.

종종 고객센터 상담원이 플랫폼의 대변인 또는 플랫폼 그 자체라 생각하고 감정적으로 통화하는 분들이 있다. 하지만 상담원도 라이더와 동일한 노동자일 뿐 플랫폼 회사의 매뉴얼에 따라 대응할 수밖에 없다.

심지어 본사랑 연관 없는 외주업체 직원인 경우가 대다수다. 실랑이하고 화를 내도 나만 혈압 오를 뿐 달라지는 건 없다. 일과 감정을 분리해서 문제상황을 차분하게 설명한 후 어떻게 해결하면 좋을지 상담원이 매뉴얼대로 처리할 수 있도록 시간을 주자. 화낸다고 일처리가 빨라지거나 달라지지 않는다.

하지만 가끔 교육을 제대로 받지 않은 상담원이 문제상황을 잘 파악하지 못하고 엉뚱한 답변을 하거나, 유도신문으로 상황을 라이더 귀책으로 몰아가는 경우도 있다. 이런 경우 당황하지 말고 상담원에게 "상황이 이러한데, 어떻게 해결하면 되겠냐"라고 되묻는 것이 좋다. 왜냐하면 그들도 다양한 상황에 대한 매뉴얼이 있기 때문에 그대로 처리하는 것이 가장 빠르기 때문이다. 우리에게 중요한 건 시간이다. 내 감정만 앞세워서 말을 하기 보다는 상황을 빨리 좋은 방향으로 해결할 수 있도록 상담원에게 마음의 여유를 주면 좋다.

18   고객관계관리-CRM(Customer relationship management)

고객센터에 전화하면 이전에 통화했던 기록과 라이더의 정보가 조회된다. 어느 정도 규모가 있는 기업이라면 콜센터의 상담내용이 모두 녹음 및 기록된다. 그동안 어떤 상담을 했는지 전산에 남아 있기 때문에 상담원은 내 성향을 파악할 수 있다. (해당 프로그램 운영비용이 들어가기 때문에 플랫폼 마다 실제로 운영되는지는 모르겠다.) 라이더 전용 콜센터의 경우, 라이더가 그들의 고객이기에 라이더 상담내용은 모두 기록된다. 라이더가 하는 일이 픽업-배달이듯이 상담원이 하는 일은 통화-상황해결이다. 그들도 우리와 같은 단순 감정 노동자일 뿐이다. 감정적인 부분은 빼고 문제상황을 해결하는 것에만 집중하자. 가급적 추가배차(과적) 할증 이외에는 고객센터와 통화할 상황은 없는 것이 좋다.

19   회사와 조직, 시스템

회사에 다녀보지 않은 라이더 입장에서는 쿠팡이츠를 그냥 하나의 회사라고 생각해 한 명의 사람처럼 움직인다고 생각할 수 있다. 하지만 큰 회사는 시스템과 사내정치(부서)가 존재한다. 예를 들면 쿠팡이츠 안에서도 여러 개의 부서가 각자의 책임과 권한을 갖고 업무를 진행한다.

간단하게 생각해도 ①쿠팡이츠 플러스 운영팀, ② 일반 쿠리어(일쿠) 운영팀, ③ 미션팀 (일반쿠팡에게 미션을 뿌리는 부서), ④ 사업장(식당) 관리부서 ⑤ 고객센터 (외주 업체를 사용하더라도 이를 관리하는 담당 부서가 존재할 것이다.) ⑥ 개발팀, ⑦감사팀(법무 등) 최소 7개 이상의 부서가 있고 각 부서 안에서도 다양한 팀으로 업무가 나눠져 있을 것이다.

각 부서는 각자의 성과를 위해 일하기 때문에 라이더 입장에서 볼 때는 꼭 필요한 변화가 비효율적이고 느리게 반영된다고 느낄 것이다. 하지만 알고리즘 중에 일부를 바꿔 달라는 요청을 하더라도 운영팀 혼자 결정하는 것이 아니라 변경 후 미치는 영향을 여러 부서가 상의한 후 최종 승인을 받아야 개발팀에서 변경을 시작할 수 있다.

알고리즘 변경에 합의했더라도 개발팀에서 개발이 어려워 불가능하다고 할 수도 있고, 변경 소요 기간이 2개월이라면, 아무리 좋은 정책도 결국 2달 후에나 반영된다. 라이더는 밖에서 현장을 체감하고 있기에 하루라도 빨리 좋은 방향으로 바뀌길 원하지만 회사는 하루 아침에 변하기 어렵다는 점을 이해하고 현실을 받아들이면 좋다.

20   집회/시위

만약 종로, 용산지역에서 배달을 한다면 집회, 시위정보를 미리 알면 좋다. 집회시위는 미리 신고해야 할 수 있기 때문에 서울경찰청 웹사이트(https://www.smpa.go.kr/user/nd54882.do)에 공지된다. 구글에서 "집회시위"로 검색하면 "오늘의 집회/시위"를 클릭하면 된다.

시위는 주로 토요일에 많은 편이다. 광화문, 남대문, 용산 삼각지 부근이 주요 시위장소다. 경찰도 많고 차량정체, 교통통제 등 배달하기 최악의 조건을 모두 갖추고 있다. 특히 종로지역은 집회/시위 외에도 연등제와 기타 축제도 종종 있으니 미리 참고하면 좋다.

오늘의 주요집회

(6. 28. 18:00 기준 작성)

2024. 06. 29.(토)

집회 일시	집회 장소(행진로)	신고인원	관할서	비고
13:00~16:00	동화면세점 앞 <세종대로>	10000	종로	
14:00~15:30	두터교회~신동빌딩 앞 <한남동>	500	용산	
14:00~16:30	교보빌딩 남측 인도 → 효령빌딩 <무교동 등>	500	종로 남대문 중부	
15:30~20:00	삼각지파출소 앞 <용산동>	1000	용산	
17:00~18:00	태평R~舊삼성본관 건너편 4개차로 <세종대로>	10000	남대문	
17:00~18:30	삼각지역 1出 앞 <용산동>	10000	용산	
17:00~20:00	한강진역 2出 → 용산역 잔디광장 <한남동 등>	500	용산	
18:00~19:30	태평R → 광화문역 2出 건너편 <세종대로 등>	10000	남대문 종로	

21 과태료와 범칙금 그리고 벌점

현장에서 바로 단속된 것이 아니라 카메라나 국민신문고 신고로 접수된 경우 한 달 정도 후에 고지서가 주소지로 날라온다. 확정되면 경찰청 교통민원24(이파인) https://www.efine.go.kr/에서 교통범칙금과 과태료를 확인할 수 있다. 운전자가 누구인지 알 수 없다면 과태료, 운전자가 누구인지 알 수 있다면 범칙금이 부과된다. 따라서 범칙금은 벌점이 적용될 수 있다. 특히 범칙금은 보험료 할증의 요인이 되기 때문에 주의해야 한다.

위반사실 통지 및 과태료부과 사전통지서

대상자 :
주 소 :

귀하의 차량이 오른쪽과 같이 교통법규를 위반한 사실이 확인되어 과태료 부과대상자가 되었기에 통지합니다.

1. 위반 차량의 운전자가 밝혀진 경우에는 운전자에게 범칙금을 부과하고, 밝혀지지 않은 경우는 위반 차량의 소유자(관리자)에게 과태료를 부과합니다.

의견제출 및 납부기한	2024.09.03. ~ 2024.10.07.(30일간)
위반 운전자 확인	범칙금 : 20,000원 (벌점 : 0점)
위반 운전자 미확인 (벌점 없음)	과태료 : 30,000원

2. 범칙금은 위반한 운전자가 경찰서·지구대(파출소)를 방문하거나 인터넷 경찰청 교통민원 24(www.efine.go.kr)에서 범칙금 고지서를 발부받은 경우에만 납부 할 수 있습니다.
3. 위 의견제출 기한이 경과되면 귀하에게 과태료가 부과됩니다. 과태료 기한 내에 자진 납부할 경우 일부 경미한 위반 항목은 20% 감경 되고 의견제출과 이의제기는 할 수 없으며 과태료 절차는 종료됩니다.
4. 과태료 감경 및 범칙금 등 보다 자세한 사항은 뒷면을 참고하시기 바랍니다.

2024년 09월 11일

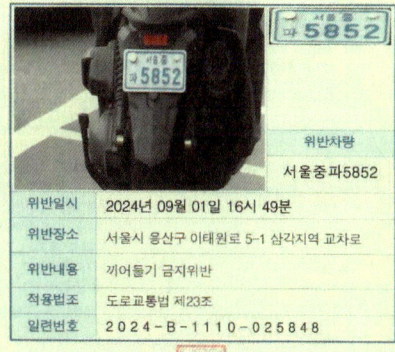

위반차량	서울중파5852
위반일시	2024년 09월 01일 16시 49분
위반장소	서울시 용산구 이태원로 5-1 삼각지역 교차로
위반내용	끼어들기 금지위반
적용법조	도로교통법 제23조
일련번호	2024-B-1110-025848

서울용산경찰서장 (관인)

<범칙금과 과태료의 차이점>

구분	부과대상	벌점	미납 시
범칙금	위반차량 운전자	있음	가산금(20%) → 즉결심판출석 통지(가산금 50%)
과태료	위반차량 소유자 등	없음	가산금(3%) → 중가산금(매월1.2%, 60개월)+재산압류(차량·금융·부동산·급여 등)

※ 위반 운전자가 따로 있더라도 의견제출 기한 내에 해당 운전자로 하여금 범칙금을 받도록 조치하지 않으면 과태료 납부의무는 차량 소유자(관리자)인 귀하에게 있습니다. 범칙금은 위반 운전자가 경찰서(민원실)·지구대(파출소)에 방문하거나 인터넷 경찰청 교통민원 24(https://www.efine.go.kr)에서 직접 발부받아야 합니다. (단, 인터넷을 통한 범칙금 발부는 차량 소유자와 위반 운전자가 동일한 경우만 가능)

○ 착한운전 마일리지 가입자인 경우 실제 운전자를 밝히지 않으면, 귀하의 마일리지 서약이 중단될 수 있습니다.
○ 과태료 감경: 의견제출 및 사전납부기한 내에 납부할 경우만 적용됩니다.
  1. 과태료의 20% 감경: 20km/h 이하 속도위반 등 일부 경미한 위반 항목(「도로교통법 시행규칙」별표 39)에만 적용되며, 이에 해당하는 경우 앞면의 과태료 사전납부 고지서에 20% 감경된 금액이 표시됩니다.
  2. 과태료의 50% 감경: 아래 각 호의 어느 하나의 사유에 해당한다고 인정되는 경우에 적용되나, 체납과태료가 없는 경우에 적용됩니다. 위반한 자동차의 등록명의자를 기준으로 감경하므로 공동명의자 중 일부만 감경대상인 경우에는 적용되지 않습니다. 아래 사유에 중복 해당되더라도 거듭 감경되지 않으며 의견제출 기한 내에 감경사유 입증자료를 제출하여야 합니다.(과태료 20% 감경과 중복 가능)
     ※ 행정정보 공동이용망으로 아래 사유 해당여부를 조회하는 것을 동의할 경우 입증자료 제출 불요(자세한 사항은 전화문의 바랍니다.)
     가. 「국민기초생활 보장법」제2조에 따른 수급자
     나. 「한부모가족지원법」제5조 및 제5조의2제2항·제3항에 따른 보호대상자
     다. 「장애인복지법」제2조에 따른 장애인 중 장애의 정도가 심한 장애인
     라. 「국가유공자 등 예우 및 지원에 관한 법률」제6조4에 따른 1급부터 3급까지의 상이등급 판정을 받은 사람
     마. 미성년자(만19세 미만인 자를 의미하며, 감경을 신청할 때에도 미성년자이어야 함)

○ 과태료는 납부고지서에서 기재된 납부가상계좌로 입금하시거나 인터넷 경찰청 교통민원 24(https://www.efine.go.kr), 지로사이트(http://www.giro.or.kr), 금융기관을 이용하여 납부할 수 있습니다.
  1. 가상계좌·지로사이트 이용 시 반드시 이용가능 시간(01:00~22:50)을 확인하시고, 인터넷·지로사이트를 이용하는 경우 신용카드 납부도 가능하며 이 경우 카드회사 수수료 1%가 추가로 발생하니 참고하시기 바랍니다.
  2. 의견제출 및 사전납부기한 내 납부 시 과태료 절차는 종료되어 사전납부기한이 경과한 경우에는 추후 발송되는 과태료고지서(납부기간60일) 수령 후 납부하시기 바랍니다.
  3. 납부기한이 토·일·공휴일인 경우 다음 은행 영업일까지 납부할 수 있습니다.
  4. 은행 창구 또는 인터넷 지로로 납부할 경우 교통민원 24(https://www.efine.go.kr)에서 납부 확인은 3일 소요됩니다.

○ 기타 문의사항은 앞면의 전화번호로 문의하시기 바랍니다. ※ 업무시간: 평일 09:00 ~ 18:00(토·일·공휴일 휴무)

22   동료가 있는 경우

카카오맵 위치공유나 네이버 밴드, 디스코드를 통해 자신의 위치를 실시간으로 공유하고, 여러 명이 자유롭게 대화할 수 있다. 일부 블루투스는 인터콤 기능(텐덤나 투어 중 근거리 무선통신)이 있으나, 배달 중 사용할 일은 없다.

23   커뮤니케이션

디스코드와 네이버 밴드, 카카오보이스톡을 통해 친한 사람 여럿이 실시간 음성그룹채팅이 가능하다. 앱에 따라 다소 음질차이, 사용편의성, 통화시간 등이 다르니 맞는 것을 찾아 쓰면 된다.

24   카카오맵 위치공유(앱)

최대 100명까지 9시간 동안 실시간으로 나와 상대방의 위치를 확인할 수 있다. 주변에 위치공유 참여자가 지나가면 알람이 울린다. 만약 동료에게 무슨 일이 있으면 바로 찾아갈 수 있고, 만나기로 할 때 서로 어디쯤 왔는지 확인하기 좋다.

25 날씨

날씨는 단가와 안전에 직접적인 영향을 주기 때문에 수시로 체크해야 한다. 우천 기간에는 기상청 예보가 틀리는 경우도 많으니 주의해야 한다. 비가 내릴 때는 길 하나를 사이에 두고 비가 내리고 안 내리는 경우도 있다. 또 국지성 폭우가 내리는 기간에는 우비 입을 시간도 없이 3~5분 내로 다 흠뻑 젖을 수 있다. 핸드폰 역시 극한 날씨에 영향을 받기 때문에 너무 춥거나 더우면 충전이 안 된다. 추울 때를 대비해 열선 케이스도 판매되고 있다.

반면에 더울 때는 거치대 우산을 장착하거나 폼보드 등을 이용해 직접 햇빛 가리개를 만들 수 있다. 또 비가 올 때 핸드폰 충전단자 부분에 물기가 있으면 충전이 안되기 때문에 주의해야 한다. 급할 경우 충전단자 부분을 시동을 켠 채로 머플러 바람에 말리는 방법이 있다.

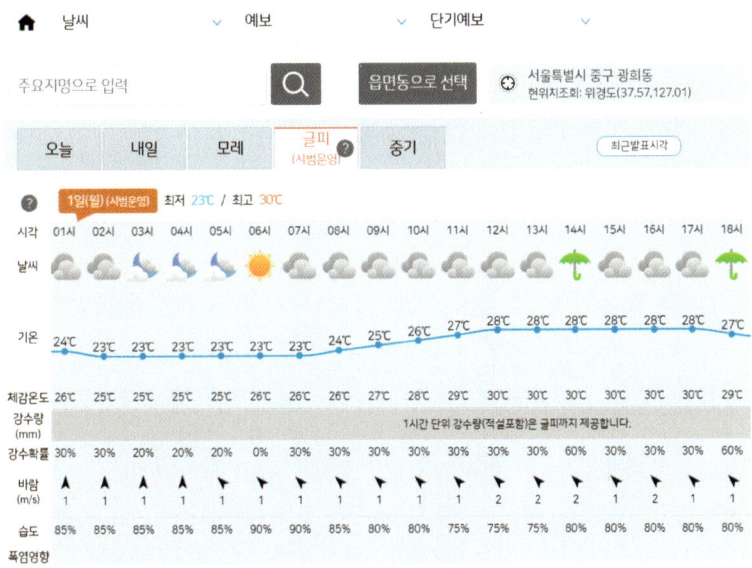

26 　　여름(7월말~8월까지)

　　　　질병청에 따르면 2022년 온열질환 첫 사망자는 7월 1일인 반면, 2023년 기준 첫 온열질환 사망자는 5월 21일에 나왔다. 2022년 온열질환자의 51.4%는 정오부터 17시 사이에 발생했다고 한다. 추울 때는 옷을 두껍게 입고, 열선, 핫팩 등으로 무장할 수 있다. 하지만 더운 건 방법이 없다. 미국의 경우 오토바이 헬멧 에어컨도 시판된 것이 있기는 하지만 구하기도 어렵고, 효용성도 검증되지 않았다. 기본은 햇빛에 살갗이 직접 노출되지 않는 것이다. 팔토시, 유니클로 에어리즘, 골프선수들이 쓰는 자외선차단패치, 다이소의 쿨스프레이까지 다양한 제품이 있다. 크록스도 많이 신는다. 다만 크록스를 맨발에 신을 경우 구멍 사이와 발목부분만 검게 살이 타고, 살이 쓸려서 까질 수 있으니 양말을 신는 것이 좋다. 또한 갑자기 비가 와도 양말만 벗으면 되기 때문에 대응하기 좋다.

27 　　장마(7월말)

　　　　우천 시 가장 기본 아이템은 우비와 방수 케이스다. 우비는 다양한 회사 제품이 있는데, 제비표 우의가 유명하다. 제비표 우의도 다양한 품목이 있는데 그 중에 SI-901을 추천한다. 또한 겨울에 비가 올 경우 두꺼운 자켓 위에 우의를 입을 때도 있어서 한 치수 큰 것을 구매하는 것도 좋다.

방수케이스는 벽돌케이스부터 핸드폰 기종별 또는 범용 전용 방수케이스가 있다. 다이소에서 방수케이스를 사서 따로 딱판을 구입해 직접 만들어 사용하는 것도 가격 뿐만 아니라 사용하기 편하다. 오토바이는 기본적인 방수처리가 되어 있기 때문에 걱정 없다. 그래도 가급적 비는 안 맞는 것이 좋다.

하지만 2022년 강남역 침수 때처럼 비가 많이 올 경우 에어크리너 높이까지 물이 차면 안 된다. 이런 경우 즉시 높은 지대쪽으로 이동하고 그마저도 어려우면 경계석을 넘어 인도라도 올라가야 한다.

28   여름철 배터리 충전 안될 때

한여름에 충전이 잘 되지 않는다면 일단 카톡, 음악, 네비게이션 등 다른 앱은 종료하고 배달앱 하나만 켜는 것이 좋다. 배달앱 하나만으로도 실시간 위치를 사용하기에 배터리 소모와 열 발생량이 상당한 편이다. 여기에 네비까지 켜면 뜨거워서 충전이 되지 않을 가능성이 높다. 화면 밝기 또한 배터리에 주는 영향이 크다. 보통 화면밝기는 자동으로 설정되어 있는데 설정에서 수동으로 조절 가능하다. 급할 땐 안정권으로 충전될 때까지 화면밝기도 어둡게 조절하면 좀 더 오래 버티고 충전도 빨리 된다. 화면이 어둡기에 가리개를 쓰면 화면 밝기 부담이 줄어서 배터리 관리에 도움된다. 그리고 만약 분리가 쉬운 핸드폰이라면 아파트 같은데서 엘레베이터를 기다릴 때, 차가운 대리석이나 타일에 핸드폰 뒷판을 대고 식히는 것도 방법이다. 음식점에 스탠드 에어컨이나 선풍기가 있을 경우 이를 이용하는 것도 좋다.

29 태풍(바람)

태풍이나 바람이 강한 날 운행은 당연히 위험하다. 간판이나 기타 물건들이 날아다닐 수도 있고, 바람에 오토바이가 휘청거리거나 심한 경우 나의 의도와 상관 없이 차선이 변경되기도 한다. 특히 서울 한강을 건널 때는 바람에 쉽게 차선이 변경될 수 있으니 유의해야 한다. 주차할 때도 사이드스탠드를 세우면 바람에 오토바이가 넘어질 수 있으니 메인 스탠드를 사용해야 한다.

30 겨울(12월말~2월말)

사람에 따라 다르나 여름에는 햇빛 때문에 옷을 벗을 수 없지만 겨울에는 무조건 두껍게 여러겹 입으면 된다. 다만 운행이 불편하지 않아야한다. 기본으로 내복(히트텍 엑스트라웜)부터 흔히 말하는 대장급 패딩까지 4~5겹에 열선조끼까지 입으면 웬만한 추위는 견딜 수 있다.

오토바이에는 토시와 핸들열선 무릎담요, 스크린이 있으면 찬 바람을 막아준다. 발가락 끝이 시려울 땐 방한화와 발바닥 핫팩을 사용하면 된다. 그 외 핫팩을 몇 개 주머니에 넣어 놓으면 좀 더 따뜻하다. 영하 15도까지 내려간다면 몸에 붙이는 핫팩을 무릎을 비롯해 곳곳에 붙이면 효과가 있다.

다만 핫팩도 무게(g)와 제조사에 따라 품질차이가 크다. 급할 때는 다이소 제품도 좋다. 인터넷으로 대량구매 할 때는 "다봉산업" 제품의 품질이 좋은 편이라 한다.

오토바이 관리요령

주요 소모품은 엔진오일, 브레이크 패드, 타이어, 미션오일, 에어클리너 정도다. 센터방문 시 핸드폰에 간편하게 자신만의 정비기록을 남기는 습관을 들이면 좋다. 아래 내용은 PCX 21년식을 기준으로 적었다. PCX의 경우 아래의 소모품만 주기적으로 교체한다면 10만km 이상 충분히 운행할 수 있다. 혼다코리아는 125cc 이하 모델은 2년 또는 20,000km 이하, 125cc 초과 모델은 2년 간 주행거리무제한 보증기간을 제공한다. 보증대상에서 소모품과 유지류는 제외된다.

*소모품: 주행 또는 시간 경과에 따라 성능이 저하되거나 마모되는 부품

소모품	스파크 플러그, 오일필터, 에어클리너, 연료필터, 브레이크 패드, 가스켓류, 배터리, 타이어, 튜브, 램프류(전조등, 방향등 등), 퓨즈류, 패킹류, 기타고무 제품
유지류	엔진오일, 미션오일, 브레이크액, 냉각수, 기타 윤활유 등

01 엔진오일

가장 중요한 건 엔진오일이다. 자주 교체할수록 좋다. 하지만 비용이 발생하니 자신에게 적절한 교체주기를 찾으면 좋다. 정답은 없지만 하루 8시간 운행 기준 1,000km~2,000km를 교체주기로 본다.

배달업 특성 상 시내주행이 많아 정지와 출발, 급가속, 장시간 운행으로 인한 고열발생 등이 많아 엔진오일에 가혹한 조건이다. 엔진오일은 엔진 내부에 있는 금속의 마찰을 줄이는 윤활제 역할을 한다.

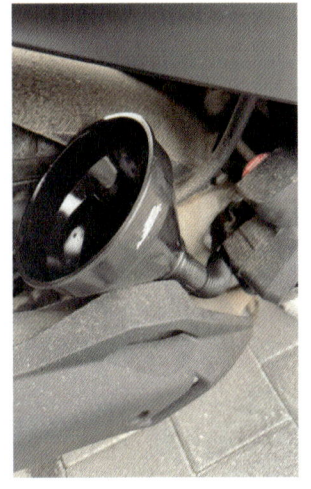

만약 엔진오일이 없다면 내부에 있는 금속끼리 부딪쳐 소음이 증가하고 심한 경우 금속이 깨질 수 있다. 따라서 엔진오일의 생명은 "점성"이다. 금속찌꺼기가 많거나 시간이 흐르면 점도가 깨지기 때문에 미리 교체해야 한다.

엔진오일은 가격대에 따라 광유, 합성유(50%, 100%)로 구분된다. 최근 광유는 드물고, 성능이 좋지 않기 때문에 추천하지 않는다. 대부분 센터에선 합성유를 10,000원~30,000원 정도 받는다. 브랜드에 따라 더 비싼 제품도 있다. PCX 기준 엔진오일 용량은 0.8L라 한통이 다 안 들어간다. 남은 것을 따로 보관하면 4번 교체할 때 한 번 더 교체할 분량을 모을 수 있다. 하루 8시간 주 5일 운행 기준으로 가급적 50% 이상 합성유로 1,300km 전후로 교체하는 것을 추천한다.

엔진오일 교체를 직접 집에서 하는 방법도 있다. 주의할 점은 폐유를 꼭 주변에 있는 카센터나 오토바이 센터에 버려야 한다. 센터에 폐유는 대부분 폐기물업자가 센터에 돈을 지불하고 가져가거나 무상으로 수거해가는 편이니 센터도 나쁠 건 없다. 다만 엔진오일 교체공임은 못 받게 되니 아쉬워 할 수 있다. 또한 자가로 교체하는 경우 볼트를 너무 세게 조이거나 느슨하게 조여 추후 문제가 생길 수도 있으니 주의해야 한다.

자가교체를 위한 준비물은 12mm 복스알과 라쳇렌치, 엔진오일 주입구에 넣을 깔대기, 계량컵(0.8L 측정용), 폐유를 담을 통만 있으면 된다. PCX125 자가교체 방법은 블로그 게시물을(https://blog.naver.com/gabjin87/222607188461) 참조하면 된다.

02 구동계 교체

메뉴얼 상 교체주기는 16,000km 정도인데, 이때 미션오일도 같이 교체하면 좋다. 구동계 교체범위를 어디까지 하느냐에 따라 금액이 달라진다. 일반적으로 V-벨트와 무브볼, 무브볼집 등을 교체한다. (아래 사진의 왼쪽 날개모양 부분) 오른쪽 원판은 클러치슈인데, 잘 교체하지 않는 편이고 비용도 비싸다.

PCX 구동계 6종세트+드라이브벨트

벨트와 무브볼 쪽 부품을 전부 교체하면 부품값만 약 7만원 수준이다. 보통 센터에서는 12~15만원 정도 받는다. 초반 가속력을 좀 더 얻고 싶다면 아래 사진과 같이 무브볼(하늘색 구슬같이 생긴 것)을 좀 더 가벼운 것으로 교체해도 좋다. 직접 구동계를 교체해보실 분들은 블로그 게시물을 참조하면 좋다. (https://blog.naver.com/gabjin87/222614969525)

03 미션오일(변속기 오일)

미션오일을 간과하는 사람들이 많지만 주기적으로 교체 해주는 것이 좋다. 특히 신차는 10,000km에 한번 갈아주면 좋다. 신차는 금속 찌꺼기 때문인지 PCX125 기준 12,000km에 교체했을 때 색깔이 검게 나왔다. 이후부터는 10,000km 이상 주행해도 오일색은 깨끗했다. 교체해보면 하루 이틀 오토바이가 부드럽게 가속하는 것을 느낄 수 있다.

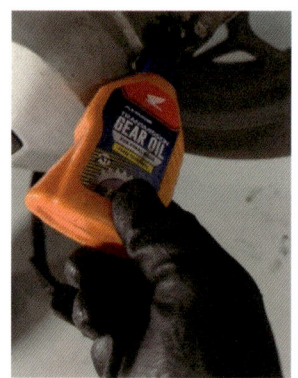

미션오일은 주입량(0.12L)도 적고, 교체도 어렵지 않기 때문에 구동계 교체할 때 같이 갈아주는 것을 추천한다. 혼다AHM정품 미션오일도 있지만 엔진오일 남는 것을 주입하는 경우도 있다.

04 스마트키 배터리 교체

PCX125는 17년 이후 모델부터, NMAX는 21년 모델부터 스마트키가 적용됐다. 드물지만 가끔 스마트키 배터리가 방전되서 시동이 안 걸리거나 키 인식이 잘 안될 때가 있다. 이럴 때는 편의점이나 다이소에서 동전모양의 배터리(CR2032)를 구매하면 된다. 따로 장비가 없어도 교체할 수 있다.

05 타이어 교체(공기압)

타이어는 유일하게 바닥과 닿는 부분이다. 크기가 클수록 바닥과 닿는 면접(접지면)이 넓어 고속으로 달릴 때 지면을 더 잘 밀어 낼 수 있다. 멈출 때도 면적이 넓은 만큼 마찰이 잘 일어나 제동력이 좋다. 타이어 교체주기는 눈으로 마모선을 체크 후 교체한다. 보통 뒷 타이어의 경우 12,000km 전후로 교체한다. 직접 동력을 받는 뒷 타이어에 비해 앞타이어는 마모가 적어 잘 교체하지 않는다. 하지만 앞타이어가 얇아져서 마모가 심하면 진동이나 승차감에 영향을 주기 때문에 교체해주면 좋다.

타이어 교체는 정답이 없지만, 안전과 직결되기 때문에 가급적 미리 교체해두는 것이 좋다. 주로 쓰는 타이어 브랜드는 미쉐린 씨티그립 시리즈와 피넬리 엔젤 등이 있다. PCX 뒷타이어 기준 교체비용은 공임포함 10만원 초중반대 정도 한다. 참고로 타이어 접지력이 좋을수록 금방 닳는다. 접지력이 좋으면 그만큼 고무가 부드러워야 하니까 마모도 빠르다고 생각하면 된다. 경우에 따라 뒷 타이어는 한사이즈 더 큰 타이어를 장착할 수도 있으니 주행습관과 취향에 따라 교체하면 된다. 보통 엔진오일을 교체하면 타이어 공기압도 체크해주는데 그렇지 않은 곳도 있으니 교체할 때마자 체크하고 적정 공기압을 유지하자. 앞바퀴 공기압은 특히 잘 빠지고 만약 앞바퀴 공기압이 낮을 경우 코너를 돌 때 핸들이 털릴 수 있다. 적정 공기압은 PCX기준 앞바퀴 29psi, 뒷바퀴 36psi 수준이다.

06 냉각수, 브레이크 오일

냉각수와 브레이크 오일은 자주 교체하진 않지만, 50,000km 이상 주행하면 한번 확인하고 미리 교체해도 좋다.

07   배터리 방전

라이트를 켜놓고 퇴근하면 아침에 오토바이 배터리가 방전된다. 그리고 멀쩡하던 오토바이가 갑자기 방전되는 경우도 있다. 배터리가 갑자기 방전되면 시동이 걸리지않아 당황하게 된다. 이럴 땐 몇 가지 방법이 있다.

1. 주변 오토바이 센터에 전화해서 출장 부탁 (배터리 점프 또는 교체), 참고로 점프를 할 경우 꼭 오토바이 센터일 필요도 없다. 자동차 배터리도 12V일 경우 가능하다. 보통 출장비를 따로 지불해야 한다.
2. 점프선이 있다면 주변 지인 오토바이나 차량과 점프해서 시동을 건다. PCX 스마트키를 사용할 경우 배터리가 없으면 수동으로 시트를 열어야 하기 때문에 전용도구가 필요하다.
3. 점프선이 없다면 직접 배터리만 분리해서 센터에 가져가 충전하고 다시 장착하는 방법도 있다. 이 경우도 번거롭긴 마찬가지로 배터리 커버를 열고 배터리를 분리해야 되서 쉽지 않다. 또한 십자 드라이버가 추가로 필요하다. (PCX는 안장 밑에 비상공구가 있다)
4. 시간적 여유가 되고 배터리만 문제라면 인터넷에서 배터리 주문 후 직접 교체하는 방법도 있다. PCX 21년식 순정 배터리(GTZ8V)는 가격은 인터넷 기준

6만원 이상이다. 국산 브랜드 배터리는 좀 더 저렴하다. 경험 상 몇 번 방전된 후 점프 후 다시 사용해도 문제가 없으니 배터리 문제가 확실한 경우가 아니면 교체하는 경우는 드물다. 만약 점프해서 시동이 걸리고 20분 이상 주행한 후에 시동을 껐는데 다시 시동이 걸리지않는다면 오토바이가 자체적으로 충전이 안되는 상황이라 제너레이터 문제일 가능성이 크다.

*PCX 배터리는 시트 밑에 있는데 방전된 상태에서 시트를 열려면 육각키가 있어야한다. PCX 구매시 스마트키와 같이 준다. 모델마다 육각키가 다르니 자신의 PCX 육각키를 꼭 소지해야한다.

08   에어클리너

PCX 에어클리너 교체주기는 매뉴얼 상 18,000km다. 하지만 배달용이라면 좀 더 빨리 교체하는 것을 추천한다. 비용도 저렴하며, PCX는 십자드라이버만 있으면 교체 할 수 있다.

09   점화플러그

매뉴얼 상 교체주기는 12,000km이다. 교체할 때 이리듐플러그로 갈면 좀 더 오래 쓸 수 있다.

10   연비

겨울철 연비가 여름보다 떨어지는 것이 정상이다. PCX125 21년식 기준 리터당 평균 연비는 30km 중후반, NMAX는 30km 초반 정도 연비가 나온다. PCX는 겨울에도 연비가 30km이하로 내려가지 않는데 NMAX는 20km 후반으로도 종종 떨어진다고 한다. PCX 연료탱크 용량은 8리터인데 비해 엔맥스는 7.5리터라 가득 주유할 경우 PCX는 300km, NMAX는 200km 정도 운행한다.

11   아이들링 스탑

신호대기나 정차 중에 자동으로 시동이 꺼지고 엑셀을 돌리면 다시 켜지는 기능이다. 연비에도 도움이 되지만 겨울철에는 배터리 방전 가능성이 있어 사용을 추천하지 않는다.

12 브레이크 패드(드럼, 슈)

디스크 방식 브레이크 패드는 육안으로 닳았는지 확인할 수 있다. 주행습관에 따라 교체주기가 천차만별이다. 보통 교체할 때가 되면 끼익끼익 소리가 나기 시작한다. 하지만 교체주기가 남았어도 눈비가 오거나 먼지가 끼여서 소리가 나는 경우가 많으니 직접 눈으로 확인 후 교체하는 것이 좋다. 드럼식 브레이크는 주기적으로 유격을 조절해줘야 하는데, 보통 유격이 심해지면 교체한다. 브레이크는 안전과 직결되니 가급적 미리 교체하도록 하자.

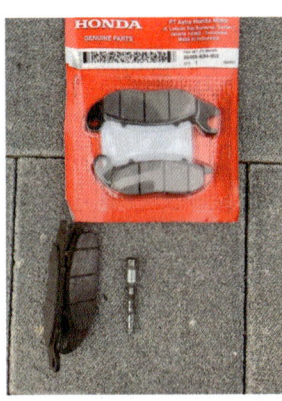

제8장

배달시장 산업과
라이더 수입(정산)

오토바이 배달 라이더의 대표 플랫폼은 〈쿠팡이츠 배달파트너〉와 〈배민커넥트〉, 〈요기요〉가 있다. 그 외 "해주세요", 퀵서비스 등이 있다. 퀵서비스는 명절 직전이 가장 성수기다. 모바일인덱스에 따르면 2023년 7월 안드로이드 사용자 기준으로 쿠팡이츠 배달 파트너와 배민커넥트 앱 사용자 수는 약 4만명으로 비슷하다. 자료가 제공되지 않아 아이폰을 사용하는 iOS 이용자 수는 제외했다.

IGAWorks 마케팅 클라우드 자료를 살펴보면 23년 6월 안드로이드 기준 쿠팡이츠 배달 파트너 앱 사용자의 39.8%가 서울에 거주하고 있으며, 강남구(5.1%), 관악구(4.1%), 동작구(3.5%), 중구(2.7%), 구로구(2.4%) 순으로 많았다. 경기도 거주자는 31.2%로 수원시 장안구(3.4%), 고양시 덕양구(3.2%), 성남시 중원구(2.8%), 화성시(2.2%), 부천시(1.9%) 순으로 많았다.

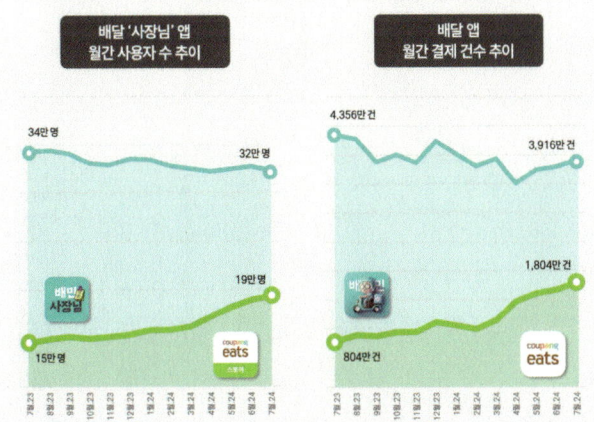

쿠팡이츠 배달 파트너 사용자의 41.4%가 배민 커넥트를 동시에 사용하는 것으로 나타났다. 22년 6월부터 23년 6월까지 1년 동안의 월 평균 사용자수는 21만 명이다. 연령대는 50대 16.6%, 60대 이상 3.8%로 50~60대가 20%의 비중을 차지했다. 쿠팡이츠 배달 파트너 중 배달 앱으로 쿠팡이츠 배달 파트너만 사용하는 고객 비율은 11.7% 수준이다. 같은 기간 배민커넥트 앱 라이더의 36.8%가 서울에 거주하고 강남구(4.5%), 관악구(4.0%), 동작구(3.4%), 중구(2.7%), 용산구(2.2%) 순으로 많았다. 경기도 비중은 26.8%로 수원시 장안구(2.9%), 고양시 덕양구(2.7%), 성남시 중원구(2.1%), 부천시(2.1%), 화성시(1.8%) 수준이다. 인천(7.0%)은 남동구 비중이 제일 컸다.

배민커넥트 이용자의 36.4%가 쿠팡이츠 배달 파트너 앱을 동시에 사용하는 것으로 나타났다. 배달앱 중 배민커넥트만 사용하는 고객 비율은 9.8% 수준이다. 최근 1년간 배민커넥트 월 사용자 평균은 17만명으로 사용자의 주 연령층은 50대(14.4%), 60대(3.7%)였다. 평균 앱 사용 기간이 가장 긴 연령층은 60대다.

01   배달산업의 미래

배달의 민족이 "가전 배달" 서비스를 시작했다. 핸드폰부터 소형가전 기기까지 오토바이에 실을 수 있는 다양한 품목을 B마트에서 판매하고 있다. 쿠팡 역시 로켓배송에 이어 제트배송까지 생겼다. 이밖에도 11번가, 마켓컬리 같은 다른 플랫폼도 배달시간 단축을 위해 노력 중이다. 이러한 배달시간 경쟁에서 오토바이의 기동성은 큰 장점이다. 적재용량의 한계가 있지만, 딜리레빗 등과 같은 업체는 이미 오토바이를 이용해 특정 기업의 소화물을 전담하여 배송하고 있다. 장기적으로 봤을 때 오토바이 배달은 다양한 플랫폼이 관심을 가질 수 있는 영역이다. 하지만 평준화 되지 않은 라이더 수급과 인건비를 해결해야하는 문제가 남았다. 이 부분이 해결된다면 오토바이 배달시장은 음식 뿐만 아니라 다양한 산업으로 확대될 수 있을 것이라고 생각한다.

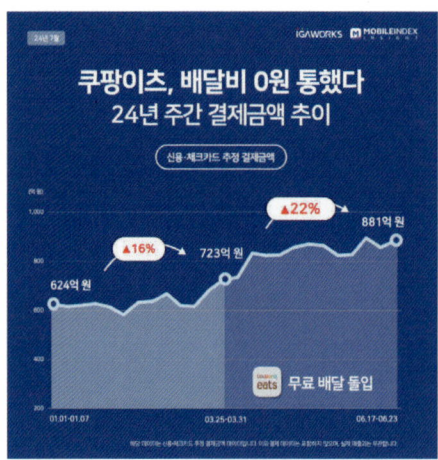
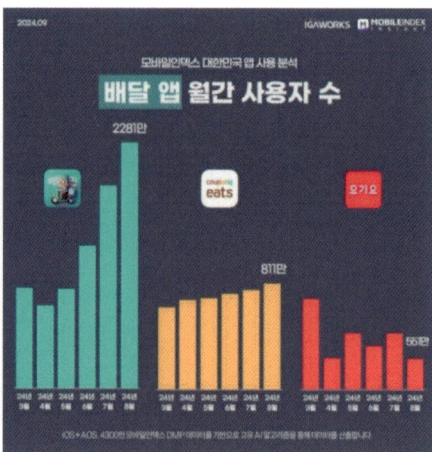

02 수입

라이더 수입은 실시간으로 변하는 배달단가에 따라 다르지만, 필자의 기준은 시급 2만원이다. 배달 수락, 상점 도착, 전달완료까지 1시간 동안 3~5건을 했을 때 2만원이 되어야 할 만하다고 생각한다. 배달은 시간을 투자한 만큼 돈을 벌 수 있다. 또한 수익이 눈 앞에서 바로 보이기에 하루에 번 돈이 얼마인지 바로 알 수 있다. 그래서 열심히 일해서 목돈을 만들고, 내일도 이만큼 벌 수 있을 것이라는 생각을 가지기 쉽다. 하지만 오늘 단가가 좋다고 내일 단가도 좋으리란 법은 없다. 실제로 배달할 때는 헛돈 쓰지않고 열심히 벌어서 목돈 만들었는데, 그 돈으로 사업이나 다른 일을 해서 실패하고 다시 배달로 돌아오는 경우도 있다.

03 투잡

투잡 직장인의 경우 투잡 사실이 직장에 통보되는 것인지 궁금 할 수 있다. 국민연금은 4대보험이 가입된 회사에서 절반을 지급하는 것이기 때문에 공단 측에서 회사에 통보할 수 있다. 그러나 투잡으로 일정금액 이상이 되기 전까진 회사에 통보 되지 않는다.

투잡 통보는 4대보험에 가입된 직장인 기준 국민연금 소득 상한액인 590만원 (23년 7월 기준) 이상일 때 통보된다. 급여소득자가 회사에서 300만원(근로소득)을 벌고 배달로 300만원(사업소득)으로 도합 600만원을 벌다면 국민연금 상한액을 초과하고 이 구간에서 국민연금 공단이 회사에 통보를 할 수 있게 된다.

04   라이더 수입(정산)

배달 플랫폼에서 운행 후 얻은 수입은 3.3%를 소득세로 원천징수한 사업 소득에 해당된다. 따라서 매년 5월에 종합소득세 신고를 별도로 해야한다. 소득이 3600만원 미만이라면 간편장부(단순경비율), 2400만원~7500만원 미만이라면 간편장부(기준경비율), 만약 7500만원 이상이라면 복식부기로 신고해야 한다.

2400만원 이상~7500만원 미만이라면 직접 장부를 작성해서 배달에 지출한 비용을 신고하는 방법이 있고, 국세청에서 정해준 비율에 따라 신고하는 방법이 있는데 이 또한 복잡하다. 따라서 세이브잇이나 삼쩜삼(3.3) 같은 어플을 이용하거나 세무사에게 의뢰하는 것이 가장 편하다.

배민커넥트는 매년 5월 종합소득세 신고기간 중 온라인 세무업체(세이브잇, 삼쩜삼)와 연계해서 라이더를 대상으로 종합소득세 신고대행 할인서비스를 약 3만원 정도에 제공한다. 만약 5월에 종합소득세를 신고하지 않을 경우 각종 세액공제 및 감면을 받을 수 없고, 최악의 경우 가산세가 부과될 수 있다. 또한 신고기간에는 융통성이 있지만 이후에는 원칙대로 증빙자료를 모두 첨부해야 한다.

2023년부터 3600만원 미만이라면 간편중부로 단순 경비율(79.4%)가 적용된다. 단순 경비율은 업종마다 경비율이 정해져 있다. 배달 라이더의 업종코드는 퀵서비스 배달원과 동일한 [940918]이다. 내 수입이 3600만원 미만이라면 79.4%(2382만원)이 경비로 처리되고 남은 618만원만 소득으로 인정하여 세금이 부과된다. 만약 3600만원이 넘는다면 연 수입과 지출에 따라 플랫폼에서 3.3% 원천징수한 금액을 환급 받을 수도 있고, 추가로 납부해야 할 수도 있다.

아래의 표는 2024년 기준 과세표준 구간이다. 주기적으로 세법개정에 따라 조금씩 달라진다.

과세표준	누진세율	누진공제금액
1400만원 이하	6%	-
1400만원 초과 - 5000만원 이하	15%	126만원
5000만원 초과 - 8800만원 이하	24%	576만원
8800만원 초과 - 1.5억원 이하	35%	1544만원
1.5억원 초과 - 3억원 이하	38%	1994만원
3억원 초과 - 5억원 이하	40%	2594만원
5억원 초과 - 10억원 이하	42%	3594만원
10억원 초과	45%	6594만원

5,000만원을 벌었다면 위의 표 기준으로 15%인 750만원을 세금으로 낼 것 같지만 아니다. 1400만원까지 6%, 1400만원 초과분에 대해서는 15% 세율이 적용된다. 계산이 어렵기에 누진공제금액이 있다. 5000만원의 15%인 750만원에서 누진공제금액 126만원을 뺀 624만원을 종합소득세로 내야한다. (어디까지나 예시)

5000만원을 벌었을 때 15%를 전부 세금으로 꼭 내야할까?

그렇지 않다. 오토바이 기름값, 식비 보험료 등 지출이 있다. 예를 들어 5천만원을 벌었는데 기름값, 오토바이 유지비, 식비 등과 각종 소득공제 혜택을 적용해서 실제 수입이 1300만원이라면 6%의 세율이 적용되는 것이다. 추가로 "경비율"을 적용하면 내야할 금액은 더 줄어든다.

기준경비율	단순경비율
27.4% (연소득 3600만원 미만)	79.4% (3600만원 이상)

위의 표는 퀵 서비스 배달원의 2024년 경비율이다. "단순경비율"은 영수증, 계산서 등을 증명하지 않아도 나라에서 수입의 일정비율을 경비 처리해주는 것이다. 퀵서비스는 연 소득으로 3599만원을 벌면 79.4%인 2879만원은 일하며 사용한 경비로 처리하고 20%만 수입으로 본다. 여기에 세액공제까지 받으면 세금부담은 거의 없다. 반면 기준 경비율은 경비 중 일부만 해당된다. (전업 대부분 해당)

수입 - (수입 X 기준 경비율) - 주요 경비 = 소득

여기서 주요 경비는 매입비, 임차료, 인건비를 의미한다. 주요 경비는 증빙을 해야만 경비로 처리된다. 따라서 종소세 신고할 때는 경비처리가 중요하다. 개인이 자료를 준비하긴 힘들기에 세무 전문가와 상의하는 것이 좋다. 경조사비도 비용 처리가 가능하니 캡쳐나 사진으로 모아두면 좋다.

그렇다면 환급은 어떻게 받는 것일까?

보통 종합소득세 신고를 하면 3.3%(원천세)를 환급 받을 수 있다. 즉 소득이 5천만원이라면 3.3%인 최대 165만원까지 환급 받을 수 있다는 것이다. 대부분의 전업 라이더는 "기준 경비율"에 해당하니 "주요 경비" 관련 증빙자료를 제출해 환급을 받아야 한다.

주요 경비 관련 증빙 자료	
	✓ 종합소득세 신고용 신용/체크카드 사용내역(엑셀)
	✓ 연말정산간소화자료 PDF (홈텍스에서 다운로드)
	✓ 지역 건강보험료/국민연금 납부확인서
	✓ 사업 관련 경조사비 지출증빙 (청첩/부고장 등)
	✓ 간이영수증 및 거래명세표 등
	✓ 주민등록등본, 가족관계증명서
	✓ 월세 임대차 계약서
	✓ 소상공인공제부금납입

이 많은 서류들을 모두 준비 할 수 있다면 좋겠지만, 만약 자료 준비가 어렵다면, 일단 준비 할 수 있는만큼 하고 세무사와 상담하면 된다. 추가로 연 소득이 많아도 지출이 많아 환급 받거나, 세금을 적게 낸다면 은행대출, 신용카드 발급 등은 어려울 수 있다.

05   정산주기

정산은 실제 콜비에서 원천징수[주민세(3%) + 지방세(0.3%) = 3.3%]와 고용보험, 산재보험를 제외한다. 만약 5천원짜리 콜 10개를 타서 5만원이 수입이라면 정산금액은 "5만원 – (5만원×3.3%) – 산재보험 – 고용보험"이 된다. 만약 시간제 보험에 가입했다면 추가로 시간제 보험료도 콜비에서 차감된다.

특수고용직으로 고용보험과 산재보험료를 내지만 실제로 고용보험 혜택(실업급여)를 받는 경우는 보지 못했다. 조건과 기준이 까다로워 사실 상 받기 어렵다. 반면에 산재보험은 상대적으로 받기 쉽다. 다만 다른 보험과 중복적용이 되지 않기 때문에 단독사고 혹은 본인과실 비율이 큰 경우에 사용하면 좋다.

보험료 및 원천징수세액 변경 안내

24년 7월 1일부터 고용노동부 고시에 따라 고용, 산재보험 필요경비 산정 시 사용되는 직종별 공제율(퀵서비스)이 27.4% → 19.1%로 변경되어 고용, 산재보험료에 변동이 있을 예정이며, 산재보험료 경감율도 기존 50%에서 30%로 조정되어 적용될 예정입니다. 또한 소득세법 제 86조 소액부징수 예외 조항이 신설됨에 따라 사업 소득(인적용역 소득)의 경우 원천징수세액이 1,000원 미만이더라도 원천징수를 하도록 변경되었습니다. (모든 조정 공제율은 2023년 국세청 공시 귀속 경비율 고시에 따름)

1. 고용보험 공제율

① 27.4% → 19.1% // 고용보험료 = 개인별 월 보수액 × 고용보험료율

* 월 보수액 = (소득세법상 사업소득 - 기타소득에서 비과세소득) - 경비
* 경비 = (소득세법상 사업소득 - 기타소득에서 비과세 소득) × 공제율
* 경비 공제율 = 19.1%
* 24년 고용보험료율 = 1.6%(퀵서비스 기사)
* 보험료 부담

1) 월 보수액이 80만원 이상 133만원 미만
= 개인, 회사가 각각 10,640원 (고정)씩 부담

2) 월 보수액이 133만원 이상
= (월 수수료 - (월 수수료 × 19.1%)) × 0.8% 금액을 개인, 회사가 각각 부담

예시 1) 한 달 수입이 1,500,000원 일 때 월 고용보험료
① 경비 = 1,500,000원 × 19.1% = 286,500원
② 월보수액 = 1,500,000원 - (1,500,000원 × 19.1%) = 1,213,500원
③ 월 보수액이 80만원 ~ 133만원 구간에 포함되므로 개인, 회사가 각각 10,640원씩 납부

예시 2) 한 달 수입이 2,500,000원 일 때 월 고용보험료
① 경비 2,500,000원 × 19.1% = 477,500원
② 월보수액 = 2,500,000원 (2,500,000원 × 19.1%) = 2,022,500원
③ 월 고용보험료 = 2,022,500원 × 0.8% = 16,180원
④ 개인, 회사가 각각 16,180원씩 납부

2. 산재보험 공제율, 경감율
① 공제율 27.4% → 19.1%
② 경감율 50% → 30%(24.07.01~24.12.31)

산재보험료 = 개인별 월 보수액 X 산재보험료율
월 보수액 = (소득세법상 사업소득 - 기타소득에서 비과세소득) - 경비
* 경비 = (소득세법상 사업소득 - 기타소득에서 비과세 소득) × 공제율
* 경비 공제율 19.1%
* 24년 산재보험료율 = 1.76%(퀵서비스 1.7% + 출퇴근재해요율 0.06%)
* 쿠팡이츠서비스와 파트너가 각각 (월보수액 × 0.88%(1.76%의 절반))의 금액만큼 부담
* 보험료 30% 경감 (24.07.01~24.12.31)

예시) 한 달 수입이 2,500,000원 일 때 월 산재보험료
① 경비 = 2,500,000원× 19.1%-477,500원
② 월 보수액 = 2,500,000원 - (2,500,000원 × 19.1%) = 2,022,500원
③ 파트너님 부담 산재보험료 = 2,022,500원 × 0.88% =17,790원 (17,798원이나 원단위 절사)
④ 30% 경감액 = 17,790원×30% = 5,330원 (5,337원이나 원단위 절사)
⑤ 파트너님 부담 월 산재보험료 = 17,790원 5,330원 = 12,460원

3. 소액부징수
① 예외 조항 추가: 인적용역 사업소득으로서 계속적, 반복적 활동을 통해 얻는 소득에 대한 원천징수세액이 1,000원 미만이더라도 원천징수를 하여야 함. (24.07.01 이후 지급분부터)

자주하는 질문

Q : 제가 산재보험 가입 대상인가요?
A : 배달 플랫폼 앱을 이용하여 1건 이상 배달 수행 시 산재보험 가입대상입니다.

Q : 사고경위서 작성했는데 산재신청이된건가요?
A : 산재 신청은 회사가 아닌 사고가 발생한 관할 근로복지공단을 통해 본인이 직접 신청을 하거나 또는 산재 신청이 가능한 특정 병원에서 치료를 받았다면 해당 병원을 통해 진행하실 수 있습니다. 파트너님께서 신청하신 산재를 원활히 처리하기 위하여 사고경위서를 꼭 작성해주시길 바랍니다.

Q : 산재보험에 가입하지 않을 수 없나요?
A : 23년 7월 1일부터 모든 배달파트너님들의 산재보험 가입이 의무화 됐으며, 별도로 가입 유무를 선택할 수 없습니다.

Q : 유상운송화물특약보험에 가입되어있는데 산재를 가입해야하나요?
A : 유상운송화물특약보험은 운전 시 발생한 사고에 대한 보장을 받는 보험이며 산재보험과 보장혜택이 다릅니다.

Q : 본업이 있어 4대 보험 적용 중인데, 산재에 가입해도 되나요?
A : 23년 7월 1일부터 의무적으로 가입되고 있으며, 정확한 답변은 본인의 회사 또는 공단에 문의 부탁드립니다.

Q : 오토바이 외 다른 배달수단(자동차,자전거,도보)도 산재보험 가입이되나요?
A : 네. 가입요건(1건 이상 배달 수행) 충족 시 배달수단 무관하게 모두 가입됩니다.

Q : 나이제한이 있나요?
A : 나이제한은 없습니다.(플랫폼 내 등록된 인원에 한함)

제9장

사고 시 대처

경찰은 현장에 출동해서 누가 가해자고 피해자인지만 판단한다. 현장에서 판단이 어려울 경우 경찰서에 가서 사고 경위서를 작성하면 며칠 뒤 가해자와 피해자가 결정된다. 경찰 측에서 가해자와 피해자가 결정되면 이후 누가 더 잘못했는지 여부, 흔히 말하는 몇 대 몇의 과실비율은 보험회사끼리 정한다.

사고가 나면 일단 안전한 곳으로 이동해야 한다. 그리고 보험접수와 경찰신고가 필요한 경우와 그렇지 않은 경우를 구분해야 한다. 만약 사고가 경미하고 자신의 과실이 크다면 보험접수를 하지 않고 개인적으로 처리하는 것이 유리할 수 있다. 마찬가지로 상황에 따라 경찰에 신고하는 것이 유리할 수도 있고 아닐 수도 있다. 법규를 위반했을 땐 경찰에 신고하면 사고와 별개로 벌금이 나올 수 있기 때문이다. 벌금을 내더라도 내가 유리한 상황이라면 신고를 해도 되지만 그렇지 않다면 각자의 보험사를 통해 처리하고, 피해가 서로 크지 않다면 개인끼리 합의하는 것도 좋다.

운행 중 중요한 것은 첫째도 둘째도 셋째도 모두 안전이다. 택시를 아버지처럼, 버스를 할아버지처럼 생각하고 조심해야 한다. 많이 발생하는 사고 유형은 다음과 같다.

01   핸드폰

가장 많은 사고유형은 콜을 잡으려고 운행 중 핸드폰을 보다가 앞차와 충돌하는 경우다. 특히 일부 자동차 및 택시 운전자는 이를 악용해 오토바이 운전자가 핸드폰에 집중하는 것을 보고 속도를 일부러 줄여 추돌을 유도하는 일도 있으니 더욱 유의하자.

02   주정차 단속

2023년 7월부터 주차금지구역에 정차 시 과태료가 부과된다. 국민신문고(앱)에 1분 간격으로 사진을 찍어 신고하면 단속 공무원의 확인 없이 과태료가 부과된다. 절대 주차금지구역은 ① 소화전 5m 이내 ② 교차로 모퉁이 5m 이내 ③ 버스정류소 10m 이내 ④ 횡단보도 ⑤ 초등학교 정문 앞 어린이보호구역 ⑥ 인도 등으로 광범위하다. 오토바이 또한 이륜차로 차에 속하기 때문에 단속 대상이다.

03   끝신호

끝신호를 타고 가는 경우도 사고가 잦다. 고속으로 달리다가 신호가 노란불로 바뀌면 멈추기 애매해 더 속력을 내게 된다. 그렇게 달리는 것 자체도 사고 위험이 높지만, 차들도 끝신호를 타고 오는 경우 보통 오토바이가 차량보다 앞에 위치하기에 빨리 출발하면 끝신호를 탄 차량과 충돌할 수 있으니 주의해야 한다.

04   버스 또는 택시의 차선변경

버스가 정류장에서 갑자기 2개 이상 차선을 끼어드는 경우가 많으니 반드시 주의해야 한다. 버스와 택시에 대한 주의는 아무리 강조해도 지나치지 않다. 택시도 손님을 태우기 위해 주행 중 갑자기 속력을 줄이거나 차선을 변경하는 경우가 많다. 또한 오토바이가 갓길로 주행할 때 택시의 개문 사고도 주의해야 한다.

05   택시 개문사고

보통 택시가 승객을 내려줄 때는 비상등을 켜지만 그렇지 않을 때도 있다. 갓길로 가다가 택시 승객이 문을 여는 개문사고도 흔한 사고유형이다. 사고가 나면 보통 7(택시):3(오토바이)의 과실이 나온다. 만약 승객이 다친다면 더 크게 문제가 될 수 있기 때문에 반드시 주의해야 한다.

차52-1 후행 직진 대 문 열림

(A) 후행 직진
(B) 문 열림

	기본 과실비율	A20	B80
⑤	A 문 열림의 예측가능성 존재	+10	
과실비율 조정예시	A 현저한 과실	+10	
	A 중대한 과실	+20	
	B 야간		+10
①	B 주행 차로 쪽 문 열림		+10
②	B 급박한 문 열림		+10
③	B 신호 불이행·지연		+10
④	B 버스·택시 대중교통 승강장에서 문 열림		-20

※사고발생, 손해확대와의 인과관계를 감안하여 기본 과실비율을 가(+), 감(-) 조정 가능합니다.

06 우회전 시 횡단보도 보행자

우회전 시 횡단보도가 빨간 불일지라도 무조건 사람이 우선이다. 횡단보도가 아닐지라도 오토바이와 사람의 사고는 오토바이 과실이 크다. 2022년 10월부터 횡단보도 우회전 단속이 강화됐다. 우회전을 방심 할 때가 종종 있는데 우회전 중에 파란불로 바뀌어서 갑자기 사람이 튀어나올 수도 있으니 주의해야 한다.

07 가파른 언덕을 올라갈 때 위에서 신호대기 중인 차량

경사진 곳을 올라갈 때 끝나는 지점에 신호가 있는 경우가 있다. 언덕이라 가속해서 올라갔는데, 언덕이 끝나는 지점에 신호등이 있으면, 신호대기 중인 차량 뒷부분에 추돌하는 사고도 종종 발생한다. 언덕을 올라갈 때는 경사 너머의 상황이 보이지 않으니 주의해야 한다.

08 맨홀, 공사장 철판바닥, 낙엽이나 모래 쌓인 곳

도로 위에 맨홀 뚜껑이나, 공사장에 깔아 놓은 철판도 비가 오면 더욱 미끄러워진다. 낙엽이나 모래가 많은 곳도 타이어가 쉽게 헛 돌 수 있으니 주의해야 한다.

09 페인트: 과속 방지턱, 지하주차장, 어린이보호구역, 방수페인트

비가 올 땐 페인트가 칠해진 곳을 주의 해야한다. 칠한지 얼마 되지않은 횡단보도는 블랙아이스만큼 미끄러울 수 있다. 특히 방수페인트가 칠해진 지하주차장이나 빌라 1층 대리석 위에선 달릴 때도, 내릴 때도 조심해야 한다. 눈 오는 날은 당연히 주의가 필요하지만 특히 방지턱을 넘을 때 쉽게 미끄러질 수 있다.

10 블랙아이스, 염화칼슘

눈오는 날이 위험한 건 말할 필요도 없지만, 눈이 온 뒤 블랙아이스를 주의해야 한다. 블랙아이스는 도로 위에 얇은 얼음막이 생겨난 것으로, 도로를 스케이트장처럼 미끄럽게 한다. 블랙아이스는 햇빛이 잘 들지 않는 골목과 그늘에 남아 있을 확률이 높고, 겨울 밤에는 잘 보이지도 않는다. 블랙아이스를 막기 위해 염화칼슘을 뿌린 곳도 많은데, 염화칼슘도 모래처럼 미끄러우니 조심해야 한다.

11 라이더유니온

배달라이더를 위한 안전한 노동환경과 정당한 임금보장을 위한 노동조합이다. 월 회비가 있으며 가입기간 4개월 이상 시 조합에 대한 기본복지 혜택으로 명절선물, 입원수당, 재해사망 위로금 등이 있다.(https://riderunion.org/)

12 우아한 라이더 살핌기금

배달의 민족(배민커넥트) 창업주 김봉진씨가 배달 운행 중 사고가 났지만 보험 혜택을 받기 어려운 분들을 위해 기금을 조성했다. 1인당 최대 1,500만원까지 의료비를 지원한다. (지원 대상 중위소득 140% 이하) 반드시 배민커넥트 운행 중이 아니라 쿠팡이츠 배달 중이라도 적용된다. 오토바이, 전동 킥보드, 자전거 또한 모두 해당되며 차량 접촉사고, 미끄럼 사고, 넘어짐 사고 등 운전 중 발생된 사고라면 모두 신청할 수 있다. 자세한 내용은 웹사이트에서 확인할 수 있다. (https://woowarider.or.kr/)

13 산업재해보험

혼자 운행하다 넘어진 경우도 사고(산재)라 볼 수 있다. 산업재해 정의는 업무상의 사유에 따른 근로자의 부상, 질병, 장애 또는 사망을 의미한다. 플랫폼에 가입되어 운행을 시작하면 자동으로 산재보험에 가입된다. 만약 운행 중 사고가 났는데 다른 보험의 적용을 받지 못할 경우 근로복지공단의 산재보험으로 처리할 수 있다(보험은 중복으로 혜택받을 수 없다).

산재지정 의료기관(병원)에 가면 각종 서류 작성 및 제출까지 처리해준다. 산재지정 의료기관은 근로복지공단 사이트(https://www.comwel.or.kr)에서 국민소통→민원/조회→산재지정 의료기관 찾기로 찾을 수 있다. 이후 근로복지공단에 운행하는 플랫폼에 근무 및 급여 기록을 제출하면 휴업, 요양급여도 받을 수 있으니 참고하자. 배민커넥트에서 운영하는 블로그에서 산재보험(https://m.blog.naver.com/baeminconnect/222783927043) 절차에 대해 잘 정리되어 있다.

산업재해보상보험 요양·보험급여 결정 통지서(산재보험카드)

관 리 번 호	922-11-■■■■■	사업개시번호		통 지 구 분	요양
소속사업장명	■■■[노무제공자]	공 사 명			
산재근로자성명	■■■	생 년 월 일	■■01-*******	재 해 발 생 일	2024.09.05
결 정 사 항	최초요양	처 리 결 과	승인	원 부 번 호	2024■■■■■

○ 의료기관명: ■■■한의원 (의료기관번호: 1-022031)
◇ 상병명: 좌측 팔꿈치의 상세불명 부분의 염좌 및 긴장 (S5349) [승인], 경추의 염좌 및 긴장 (S134) [승인]
   무릎의 기타 및 상세불명 부분의 염좌 및 긴장 (S836) [승인]
◇ 결정내용: 2024-09-05~2024-09-18(입원14일) 2024-09-19~2024-10-02(통원14일)
◇ 통지사항

위와 같이 결정하여 통지합니다.

2024년 09월 24일

근로복지공단 **서울지역본부장** (직인생략)

▣ 받는 사람이 「산재근로자」인 경우 안내사항(※ 수급권의 대위인 경우에는 보험가입자도 해당)
 ※ 이의제기 및 구제절차 안내
  • 위 요양·보험급여 결정에 이의가 있는 경우에는 결정이 있음을 안 날부터 90일 이내에 결정을 통지한 공단 지역본부 또는 지사를 경유하여 공단 이사장에게 심사청구 또는 「행정소송법」에 따른 소송을 제기할 수 있습니다.
  • 심사청구는 서면으로 작성(공단 각 지역본부 등에 비치된 「고객권익보호담당관(공인노무사)」의 도움을 무료로 받으실 수 있음)하거나 온라인 심사청구시스템(https://total.comwel.or.kr)으로 제출할 수 있습니다.
▣ 받는 사람이 「사업주」인 경우 안내사항(※ 산업재해 보고 의무 - 근로복지공단의 요양급여(유족급여) 신청과 별도 보고 필요)
  • 사업주는 사망자 또는 3일 이상의 휴업이 필요한 부상을 입거나 질병에 걸린 사람이 발생한 때에는 산업재해가 발생한 날부터 1개월 이내에 산업재해조사표를 작성하여 관할 지방고용노동관서에 제출해야 합니다. (※ 미 이행 시 1,500만원 이하 과태료 부과)
   * 전자 신고: 고용노동부 홈페이지(www.moel.go.kr) → 민원마당 → 민원신청 → 서식민원 → 산업재해조사표 신청
  • 또한 사망자가 1인 이상 발생하거나 3개월 이상 치료를 요하는 부상자가 동시에 2인, 부상자 또는 직업성질병자가 동시 10인 이상 발생한 중대재해가 발생한 때는 지체없이 관할 지방고용노동관서에 보고해야 합니다. (※ 미 이행 시 3,000만원 과태료 부과)

☎ 요양(보상) 절차 및 산재보상금 등에 관한 자세한 내용은 뒷면을 참조하세요

안 내 문

▧ 요양 승인 후 각종 절차 및 보험급여 등에 대한 설명이며, 자세한 내용은 홈페이지(www.comwel.or.kr) 또는 "산재보상 서비스 가이드" 어플리케이션을 이용하시거나 고객센터(☎1588-0075)로 문의하시기 바랍니다.

1 산재보험의 절차

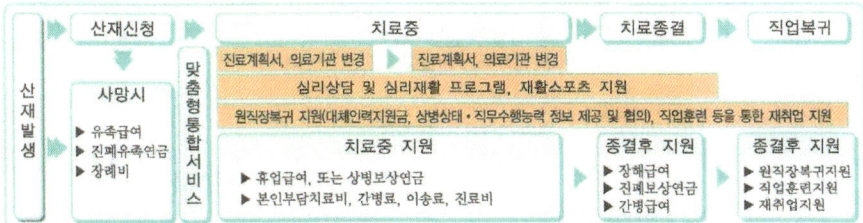

※ (진료계획서의 처리) 요양기간을 연장할 필요가 있는 경우 산재보험 의료기관이 종전의 요양기간이 끝나기 7일전까지 제출하여야 하며, 공단은 그 심사결과를 해당 산재근로자 및 의료기관에 통지(보험가입자는 심사결과를 공단에 별도 요청하는 때에 통지)

2 산재보험의 급여

○ (휴업급여) 업무상의 재해에 따른 요양으로 인하여 취업하지 못한 기간에 본인 평균임금(일용근로자의 경우 통상근로계수 적용)의 70% 지급
○ (상병보상연금) 요양 시작 2년이 경과되어도 치유되지 아니하고 중증요양상태등급(1~3급)에 해당되는 경우 휴업급여를 대신하여 지급
※ 산재보험 개정법령('10.11.21. 시행) 적용대상 진폐근로자에게는 요양 여부와 관계없이 진폐보상연금을 지급합니다.
※ 취업(학업, 사업 운영 등)하지 않았더라도, 요양 승인 기간 내에 요양 사실이 없거나, 상병 상태에 비추어 취업할 수 있는 경우 등 요양으로 인하여 취업하지 못한 기간이 아니면 휴업급여 및 상병보상연금을 지급하지 않습니다.
○ (요양급여) 본인이 부담한 진료비(산재 요양 승인 이전), 간병료, 보조기 및 이송료 등을 지급

본인부담 치료비	요양 승인 전 본인이 부담한 치료비는 본인부담 치료비 청구서 작성 후 진료비영수증과 세부내역서(의료기관 발급)를 첨부하여 청구 단, 비급여 항목은 제외되며, 의료기관 변경 및 병행진료 승인없이 임의로 치료한 경우에도 지급되지 않을 수 있음
간병료	요양 중 생명유지에 필요한 처치동작을 혼자 힘으로 할 수 없어 간병인이 필요하다고 인정되는 경우
보조기	신체부위 또는 기능상실에 대한 보조를 위하여 보조기가 필요하다고 인정되는 경우
이송료	재해현장에서 의료기관, 자택에서 의료기관까지 이송에 실제로 소요되는 비용이 발생한 경우

※ 업무상 재해로 승인된 이후부터는 산재 지정의료기관에서 요양한 경우에 한해 요양급여를 지급합니다.
○ (직업재활급여) 산재근로자를 원직장에 복귀시켜 고용을 유지하고 있거나 '적응훈련 또는 재활운동'을 실시한 사업주에게 각각 '직장복귀 지원금', 직장적응훈련비, 재활운동비' 지급, 재취업을 희망하는 산재근로자에게 '직업훈련비용 및 직업훈련수당' 지급
※ 직업재활급여에서 산재근로자란 '장해등급 제12급 이상자 또는 요양 중인 자로서 장해등급 제12급 이상자 또는 예정자'를 말함
○ (장해급여) 증상이 고정되어 요양이 끝난 후 장해가 남아 있는 경우 장해등급(1~14급)에 따라 연금 또는 일시금으로 지급
○ (간병급여) 요양이 끝난 후 상시 또는 수시 간병이 필요하다고 인정되고 실제 간병을 받은 경우 지급
○ (유족급여) 업무상의 재해로 사망한 경우 유족에게 유족보상연금 또는 유족보상일시금 지급
○ (장례비) 업무상의 재해로 사망한 경우 장례를 지낸 유족에게 평균임금의 120일분에 상당하는 금액 지급(최고·최저금액 적용)
○ (진폐보상연금 및 진폐유족연금) 업무상 질병인 진폐에 걸린 근로자 및 그 유족에게 지급

정부24 홈페이지 또는 앱(APP)을 이용하여 휴업급여와 간병급여를 보다 간편하게 청구할 수 있습니다.
※ "정부24"를 다운로드(플레이스토어/앱스토어) → "산재보험 휴업급여청구" 또는 "산재보험 간병급여청구" 검색

3 집중재활치료 안내

○ (집중재활치료) 발병일 또는 수술일로부터 ①6개월 이내의 뇌혈관 질환자, ②3개월 이내의 척추·견관절·고관절·슬관절 질환자, ③해당기간 도과했으나 집중재활치료 효과가 기대되는 사람(타박상, 염좌 등 경미한 상병은 제외)에게 재활인증의료기관에서 제공하는 전문적인 재활치료를 지원(공단은 특별한 사정이 없는 한 집중재활치료 중에는 치료종결을 하지 않음)
○ (재활인증의료기관) 재활치료에 관한 인력, 시설 등을 특별히 인증받은 전문기관으로서 일반 의료기관에서 보험급여로 인정되지 않거나 제공할 수 없는 전문적인 치료가 가능하며, 특히 근로복지공단 소속병원(정신병원, 경기요양병원 제외)은 개별별 맞춤형통합재활 및 비급여에 해당하는 치료 제공

4 보험급여 일시중지

① 공단의 의료기관 변경 요양 지시를 정당한 사유없이 따르지 아니하는 경우, ② 장해등급 재판정 요구에 응하지 않는 경우, ③ 산업재해보상보험법 제114조 및 제115조의 보고·신고 등을 아니한 경우 등, ④ 특별진찰 요구에 따르지 아니한 경우

요양으로 취업하지 못하는 기간은 고용보험 휴직신고 필수(미신고시 일자리 안정자금 환수 불이익)

브로커가 산재 보험급여를 받게 해주겠다고 속여 금품을 갈취하는 사례가 발생하고 있으므로 각별히 주의하시기 바라며, 금품요구를 받는 경우 「24시간 산재부정수급신고센터 : 1551-5777 또는 공단 홈페이지-산재부정수급신고」로 신고하여 주시기 바랍니다.

산재근로자가 「산업재해보상보험법」 제37조에 따른 업무상의 재해로 요양을 위하여 휴업한 기간과 그 후 30일 동안은 「근로기준법」 제23조에 따라 해고하지 못함. 다만 사용자가 제84조에 따라 일시보상을 하였거나 사업을 계속할 수 없는 경우에는 그러하지 아니함.
※ 자세한 사항은 고용노동부 고객상담센터(☎ 1350) 또는 각 지역 '고용노동지청·지방노동위원회'로 문의하시기 바랍니다.

14   CCTV 공개청구

오토바이에는 블랙박스가 없고, 차량에는 블랙박스가 있으나 운전자가 불리한 상황일 때 블랙박스를 고의로 제출하지 않는 경우가 있다. 이런 상황에 목격자도 없으면 진술이 엇갈릴 수 있다. 이럴 때는 주변 CCTV를 찾은 후 "정보공개청구포털"(https://www.open.go.kr/com/main/mainview.do)에서 CCTV 녹화영상을 확보하는 것이 좋다. 해당 CCTV가 지자체 또는 정부관할이며, 다른 사람의 사생활을 침범하지 않는 범위라면 영상을 이메일 등으로 받을 수 있다.

15   과실비율정보포털

과실비율은 사고의 가해자와 피해자의 보험사끼리 정하여 처리하지만, 이를 직접 확인하고 싶다면 "과실비율정보포털(https://accident.knia.or.kr/)"에서 다양한 사례에 따른 과실비율을 확인 할 수 있다. 또한 유튜브 "한문철TV"에도 오토바이 사고 건이 종종 올라오니 시간 날 때 보면 어떤 장소에서 어떤 유형으로 오토바이 사고가 발생하는지 미리 파악하고 경각심을 가질 수 있다.

차45-6 후행 흰색 실선 앞지르기 대 선행 직진

(A) 실선 추월
(B) 선행 직진

기본 과실비율			A100	B0
과실비율 조정예시		A 현저한 과실	+10	
		A 중대한 과실	+20	
	①	B 진로양보의무 위반		+10
	②	B 앞지르기방해금지 위반		+20
		B 현저한 과실		+10
		B 중대한 과실		+20

※사고발생, 손해확대와의 인과관계를 감안하여 기본 과실비율을 가(+), 감(-) 조정 가능합니다.

차47-1 정차 후 출발 대 직진(우회전) 사고

(A) 정차 후 출발
(B) 직진(우회전) 위해 추월

기본 과실비율			A80	B20
과실비율 조정예시		A 현저한 과실	+10	
		A 중대한 과실	+20	
	①	B 진로변경 신호불이행·지연		+10
		B 현저한 과실		+10
		B 중대한 과실		+20

※사고발생, 손해확대와의 인과관계를 감안하여 기본 과실비율을 가(+), 감(-) 조정 가능합니다.

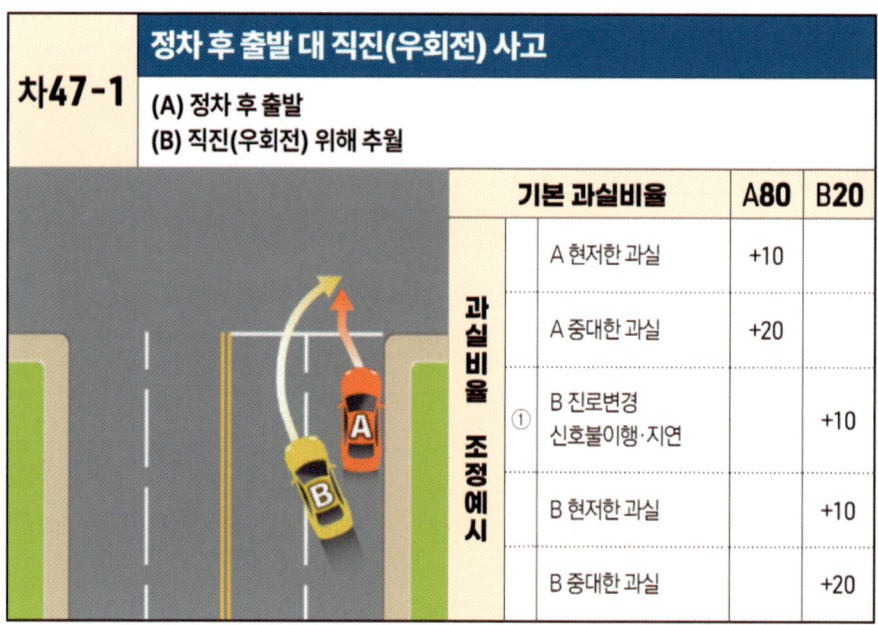

차47-2 정차후 출발차량과 그 앞으로 진로변경(교차로 아닌 곳)

(A) 정차후 출발
(B) 진로변경

기본 과실비율	A70	B30
A 현저한 과실	+10	
A 중대한 과실	+20	
A 어린이 통학버스 차량인 경우	-40	
B 진로변경(앞지르기) 신호불이행·지연		+10
B 현저한 과실		+10
B 중대한 과실		+20

※사고발생, 손해확대와의 인과관계를 감안하여 기본 과실비율을 가(+), 감(-) 조정 가능합니다.

차47-3 버스정류장에서 정차후 출발 버스와 그 앞으로 진로변경

(A) 정차 후 출발 버스차량
(B) 추월 진로변경(추월해서 A차량 앞으로 들어옴)

기본 과실비율	A40	B60
A 현저한 과실	+10	
A 중대한 과실	+20	
B 진로변경(앞지르기) 신호불이행·지연		+10
B 현저한 과실		+10
B 중대한 과실		+20

※사고발생, 손해확대와의 인과관계를 감안하여 기본 과실비율을 가(+), 감(-) 조정 가능합니다.

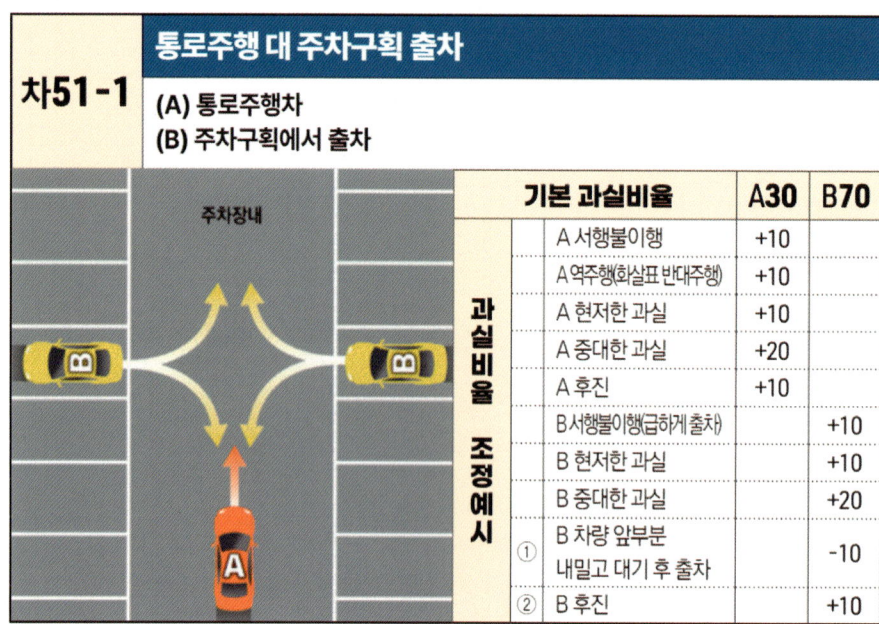

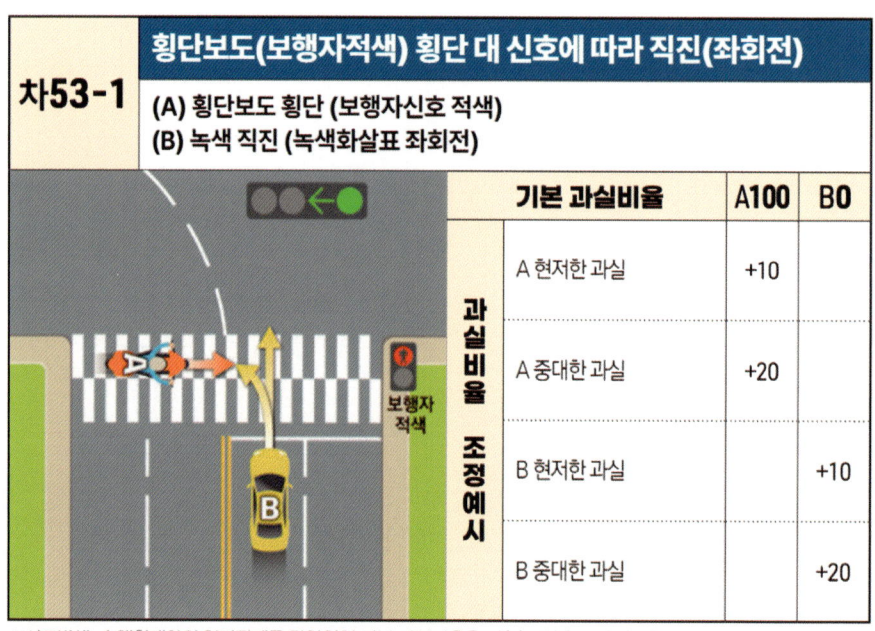

차4-2 — 비보호 좌회전 대 맞은편 우회전

(A) 비보호 좌회전
(B) 맞은편 우회전

기본 과실비율	A60	B40
A 소좌회전·대좌회전	+10	
A 좌회전이후 차로변경	+10	
A 현저한 과실	+10	
A 중대한 과실	+20	
A 명확한 선진입	-10	
B 대우회전		+10
B 우회전이후 차로변경		+10
B 현저한 과실		+10
B 중대한 과실		+20
B 명확한 선진입		-10

※ 사고발생, 손해확대와의 인과관계를 감안하여 기본 과실비율을 가(+), 감(-) 조정 가능합니다.

차12-2 — 대로 직진 대 소로 직진

(A) 대로 직진
  (가)동시 (나)선진입 (다)후진입
(B) 소로 직진
  (가)동시 (나)후진입 (다)선진입

기본 과실비율		A	B
(가)		A30	B70
(나)		A20	B80
(다)		A60	B40
A 현저한 과실		+10	
A 중대한 과실		+20	
A 서행(일시정지 포함)		-10	
B 현저한 과실			+10
B 중대한 과실			+20

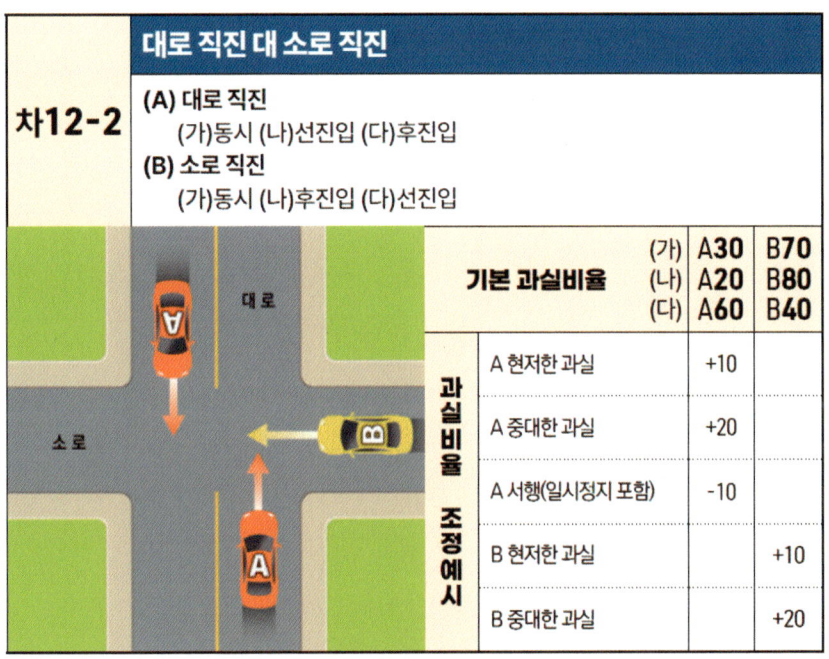

16   생활물류서비스산업발전업

2025.1.17(금)부터 시행되는 생활물류서비스산업발전법 제19조의2에 따라 다음 항목에 해당하는 경우 소화물배송대행서비스종사자가 될 수 없으며, 종사제한 확인을 위한 범죄경력조회(제19조의3)가 필요하다.

제19조의2(소화물배송대행서비스사업 종사의 제한)
① 다음 각 호의 어느 하나에 해당하는 사람은 소화물배송대행서비스종사자가 될 수 없다.
1. 다음 각 목의 어느 하나에 해당하는 죄를 범하여 금고(禁錮) 이상의 실형을 선고받고 그 집행이 끝나거나(집행이 끝난 것으로 보는 경우를 포함한다) 면제된 날부터 최대 20년의 범위에서 범죄의 종류, 죄질, 형기의 장단 및 재범위험성 등을 고려하여 대통령령으로 정하는 기간이 지나지 아니한 사람
가. 「특정강력범죄의 처벌에 관한 특례법」 제2조제1항 각 호에 따른 죄
나. 「특정범죄 가중처벌 등에 관한 법률」 제5조의2, 제5조의4, 제5조의5, 제5조의9 및 제11조에 따른 죄
다. 「마약류 관리에 관한 법률」에 따른 죄
라. 「성폭력범죄의 처벌 등에 관한 특례법」 제2조제1항제2호부터 제4호까지, 제3조부터 제9조까지, 제14조, 제14조의2, 제14조의3 및 제15조에 따른 죄
마. 「아동·청소년의 성보호에 관한 법률」 제2조제2호에 따른 죄

2. 제1호에 따른 죄를 범하여 금고 이상의 형의 집행유예를 선고받고 그 유예기간 중에 있는 사람

(중략)

< 생활물류서비스법 및 시행령 개정안 주요 내용 >

- 성범죄 및 강력범죄 등의 전력이 있는 사람은 범죄별 경중에 따라 2~20년간 소화물배송대행서비스사업에 종사* 할 수 없도록 한다. 이로써 소화물배송대행서비스 이용자의 안전을 한층 제고할 수 있게 된다.

* 「생활물류서비스법」 제2조제6호나목에 따른 소화물배송대행서비스종사자(소화물배송대행인증사업자·영업점과 운송 위탁(근로)계약 등 통하여 배송 등의 업무에 종사하는 사람)에 한함

ㅇ 소화물배송대행서비스 인증사업자*(영업점**)는 종사자 및 종사자가 되려는 자의 범죄경력을 관할 경찰청 등에 조회하여, 종사자 등이 종사제한 사유에 해당하는 경우 위탁(근로)계약을 체결하지 아니하거나 해지하여야 한다.

* (주)우아한청년들, (유)플라이앤컴퍼니, 쿠팡이츠서비스(유), (주)바로고, (주)부릉, (주)래티브, (주)로지올, 인성데이타(주), (주)디씨핀솔루션('25.1.17. 기준)

** 소화물배송대행서비스인증사업자와 계약을 체결하고, 배송 등 서비스를 위탁받아 처리하는 자

☐ 인증사업자(영업점)가 종사자 등에 대한 범죄경력을 확인하지 않거나, 종사제한 사유를 확인하고도 1개월 이내에 계약을 미해지한 경우 위반기간 등에 따라 최대 500만원의 과태료를 부과할 계획이다.

마지막으로

오토바이 배달을 하다 보면 혼자만의 시간이 많아진다. 플랫폼 앱 내 AI배차 시스템에 따라 하루종일 조용히 일하다보면 외로울 수 있다. 상점에 도착해서 "쿠팡이요 또는 배민이요" 고객에게 "맛있게 드세요" 혹은 상황에 따라 고객센터 상담원과 대화가 전부인 날도 있다.

이런 상황에서 자신이 잘하고 있는 것인지, 다른 사람은 어떻게 하고 있는지 궁금해지는 순간이 올 수 있다. 다른 사람들은 하루에 몇시간을 일하고 얼마를 버는지, 다른 지역 상황은 어떤지 혹은 배달 플랫폼에서 라이더 대상 프로모션을 하는지와 같은 정보가 필요하기도 하다. 이런 정보를 얻기 위해 젊은 사람들은 배달 라이더가 모인 카카오톡 오픈채팅이나 네이버 카페에서 활동한다.

카카오톡 오픈채팅에서 "배민1, 배민커넥트, 쿠팡이츠, 배달" 등을 검색하면 관련된 채팅방이 나온다. 채팅방들엔 나름의 규칙이 있는데 오래 활동하다 보면 누가 하루에 얼마를 벌었는지, 다른 사람들은 어떻게 일하는지를 깊게 알 수 있다.

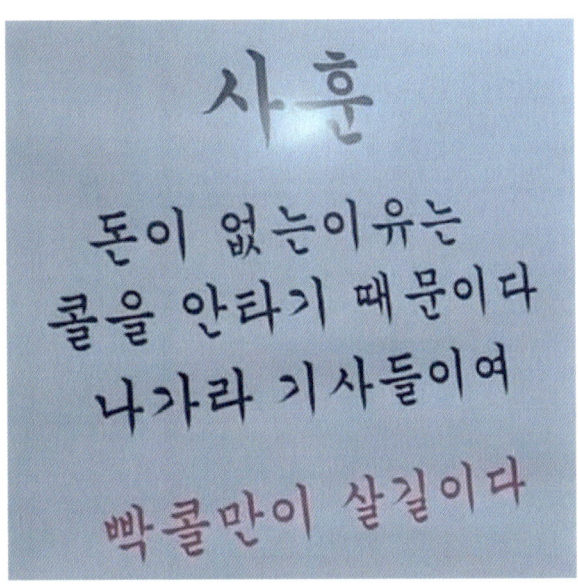

네이버 카페 "배달세상"에서 다양한 배달 관련 정보를 얻을 수 있다. 배달세상의 경우 카페 특성 상 글이 남아 있기 때문에 내가 원하는 주제에 대해 검색하면 네이버 지식인처럼 원하는 글을 찾을 수 있을 것이다.

가급적 배달에 대한 모든 내용을 다루고 싶었지만 부족한 글솜씨로 아쉬움이 있다. 추후 기회가 된다면 서울의 주요지역에 대한 주행특성과 지역별 콜을 받기 위한 위치 주요 지름길에 대해 다루고자 한다.

이 책에 적힌 모든 내용은 어디까지나 2024년 기준 배달업종을 기준으로 한다. 시간이 지나감에 따라 시시각각 변하는 내용을 모두 다루긴 어렵다. 하지만 가장 중요한 한가지는 결국 "안전"이다. 배달을 오늘 시작하건, 10년을 했건 누구도 사고로부터 자유로울 수 없다. 누가 얼마를 몇시간 동안 벌었다는 말에 일희일비 하지말고, 몸만 건강하면 언제든 배달할 수 있다는 것만 기억하면서 행복한 라이더 생활을 시작하시길 기원하며 글을 마치고자 한다

배달의 정석

초판 1쇄   2025년 2월 30일

지은이   가지아
책임편집   안성은
펴낸곳   안북스 스튜디오 anbook studio
전화   02-957-7744
E-mail   color5400@naver.com
인쇄   꽃피는청춘
값   18,000원
ISBN   979-11-89850-73-9

이 책의 판권은 지은이와 안북스 스튜디오에 있습니다.
이 책 내용의 전부 혹은 일부를 재사용하려면 반드시 양측의 서면 동의를 받아야 합니다.